KB082257

복수의 미로 : 지성의 그림자

발 행 | 2024-06-05
저 자 | 최영환
펴낸이 | 한건희
펴낸곳 | 주식회사 부크크
출판사등록 | 2014.07.15(제2014-16호)
주 소 | 서울 금천구 가산디지털1로 119, A동 305호
전 화 | 1670 - 8316
이메일 | info@bookk.co.kr
ISBN | 979-11-410-8820-0
www.bookk.co.kr
 이 작품에서 등장한 모든 이름, 인물, 사건들은 허구입니다. 실존하는 인물, 장소, 건물, 제품과는 일절 관련이 없습니다.

복수의 미로 : 지성의 그림자

최영환 지음

CONTENT

<복수의 미로: 지성의 그림자>

‘당신은 그녀에게 어떤 존재인가요?’ 한숨을 쉬며, 그의 눈은 어둠 속에 묻힌 채 나타나지 않는 적막에 매달려 있었다. "내가 헌신했던 모든 것을 외면하고, 나는 아무 의미 없다는 말에…"

어둠 속에서 흩어진 마음의 파편이 그를 괴롭히고 있었다. 그녀에게 모든 것을 줬다. 시간, 노력, 심지어는 마음마저. 그는 그렇게 무릎 꿇고, 자신의 온 존재를 바쳤다. 하지만….

그녀는 나를 허망하게 버렸다.

"그렇게 말하지 않았잖아. 네가 의미 없다는 건 아니라고. 너무나 이기적인 말을 하는 거야. 내가 언제 너를 무시한 적이 있었어?" 그녀의 목소리가 어리둥절하게 메아리쳤다.

분노에 찬 그녀의 목소리는 그의 복수를 멈추게 할 유일한 희망이었다. 그녀의 말이 사실일까? 아니면 단지 둘러대는 변명뿐일까? 그는 깊은 내적 갈등 속에서 갇혀 있다. 되돌아오던 목소리가 결국 본인을 괴롭히는 헛된 희망이 될지, 아니면 새로운 복수의 불씨가 될지를 알 수 없는 채.

그의 이야기는 복수의 미로에 빠져들었다. 그림자 속에 갇힌 지성의 소리가 허공을 가르며 울려 퍼졌다. "내가 당신에게 무슨 의미가 있나요?" 그는 질문에 답을 찾지 못하고, 쓰라린 감정의 바다에 잠겨버렸다.

세상이 고요히 잠든 한밤중, 영환은 홀로 방에 앉아 있었다. 책상 위에는 깔끔히 정리된 서류들과 최신형 컴퓨터가 있었지만, 그의 시선은 화면 너머로 향했다. 그곳은 여러 해 동안 머릿속을 괴롭혀 온 수많은 생각이 어지럽게 떠다녔다.

그는 그녀와의 관계를 논리적으로 분석하고, 그녀의 행동을 이해하려 했다. 하지만 들쑥날쑥 튀어나오는 감정을 논리로 설명하는 것은 불가능했다.

그의 성격은 차분하고 논리적이었다. 이성이 그의 나침반이었고, 감정은 그저 미풍에 불과했다. 그의 세계는 완벽한 질서와 규칙 속에서 흘러갔다. 감정은 불필요한 혼란을 일으키는 요소에 지나지 않았다. 일상은 언제나 정교한 시계처럼 돌아갔다. 아침에는 정해진 시간에 일어나 커피를 내리고 출근하며, 주말에는 인적이 드문 외곽 도서관에서 우주, 외계인, 심해 등 미지의 미스터리에 관한 책을 읽었다.

처음으로 감정이라는 혼란스러운 세계에 발을 들이자, 철벽같은 논리의 방벽에 작은 균열이 생겨났다. 그가 살던 논리의 세계는 점점 더 복잡해졌다.

라감이라는 이름을 가진 그녀는 활발하고 사교적인 사람이었다. 주위 사람들을 사랑했고, 태양처럼 빛나는 존재였다. 그녀가 있는 곳엔 언제나 밝은 에너지가 가득했고, 사람들은 자연스레 그녀에게 끌렸다. 그런 성격 덕분에 누구와도 쉽게 어울렸고, 다양한 모임의 중심이 되었다.

미소는 따뜻하고 생기 넘쳤으며, 웃음소리는 주위 사람들을 기쁨으로 물들였다. 사람들에게 다정하고 친절하게 대하는 그녀의 성격 덕분에 주위 사람들은 그녀와 함께하는 시간을 소중히 여겼다. 그리고 단순히 사람들 사이에서 인기 있는 인물이 아니라, 함께 있는 것만으로도 위로와 힘을 얻었다.

그날 밤, 영환은 자신이 기억하는 모든 사건을 하나하나 떠올렸다. 어렸을 때부터 그는 남들과 달랐다. 친구들 사이에서 '천재'라는 별명을 얻을 정도로 똑똑했지만, 그에게 큰 의미가 없었다. 진정으로 원한 것은 남과 다르다는 점을 이해받는 것이었다. 그러나 그 누구도 그의 깊은 내면을 이해할 수 없었다.

그녀와의 첫 만남을 떠올렸다. 영환은 그녀의 에너지를 경이롭게 바라봤다. 둘의 만남은 그에게 인생에서 중대한 전환점이었다. 그녀는 영환을 다른 사람들과 똑같이 대했다. 따뜻한 성격과 진심 어린 관심은 그를 잠시나마 행복하게 만들었지만, 그 행복은 오래가지 않았다. 결국, 그녀의 방식도 그에게 큰 상처를 남겼다. 모든 사람을 평등하게 대하려 한 행동이 오히려, 그에게는 자신이 특별하지 않다는 느낌을 주었다. 그는 자신의 존재를 의심하고, 가치가 없다고 느끼기 시작했다.

그녀는 알지 못했다. 그저 자신의 방식대로 그를 대했을 뿐이었다. 시간이 흐를수록, 그는 그녀에게서 점점 멀어졌다. 심지어 그녀의 주변에 있는 것만으로도 고통을 느꼈다. 그녀의 밝은 미소와 따뜻한 마음은 이제 그에게 상처를 주는 잔인한 칼날로 돌아왔다.
그는 여전히 그녀를 사랑했지만, 관계를 끝내며, 또 다른 고통과 혼란 속에 둘러싸였다. 그 사랑을 이제 견딜 수 없었다.

'후' 깊은 한숨을 내쉬며 머리를 감싸 쥐었다. 알 수 없는 분노와 슬픔이 자리 잡았다. 동시에 어떤 길을 선택해야 할지 고뇌했다. 어두운 복수의 길을 택하는 것이 맞는지, 아니면 상처를 극복하고 새로운 길을 찾아야 하는지에 대한 고민이 끊임없이 그를 괴롭혔다.

창문 밖으로는 비가 내리고, 번개가 칠흑 같은 어둠 속을 가르고 있었다. 책상 위에 놓인 낡은 사진이 눈에 들어왔다. 사진 속에는 행복했던 시절의 자신과 웃고 있는 그녀가 있었다. 이제 그 웃음은 희미한 기억 속에 남아 있을 뿐이다.
다시 과거의 기억이 파노라마처럼 펼쳐졌다. 회식에서 라감의 밝은 웃음과 따뜻한 미소가 눈부시게 빛나던 순간이 생생하게 떠올랐다. 그 순간, 그는 그녀에게 첫눈에 반했다. 그녀를 행복하게 해주겠다는 순수한 소망이 그의 마음을 가득 채웠다.

선과 악이 싸우는 것 같았다. 그녀에게 받은 상처를 그대로 갚아주고 싶었지만, 다른 한편으로는 그것이 옳지 않다는 것을 알고 있다. 복수심이 자신을 얼마나 어둡고 위험한 길로 이끌고 있는지 어림짐작하며 찬찬히 깨닫고 있었다.

책상 모퉁이에 놓인 작은 불상을 바라보았다. 그것은 그가 마음의 평안을 찾기 위해 자주 바라보던 것이었다. 그 불상의 차분한 미소는 그의 마음을 어루만지며, 어떤 선택이든 그에게 평안을 줄 것이라고 말해주는 듯했다. 그러나, 손을 모아 기도하는 순간, 그의 내면은 여전히 소용돌이쳤다. 갈등의 파도가 끝없이 밀려왔다. 복수의 불씨와 용서의 물결이 그의 마음속에서 치열하게 충돌하며, 마음을 갈가리 찢었다.

"정말로 이 길이 맞는 걸까?" 영환은 속으로 물었다. 복수를 실행한다면, 결국 자신도 그녀와 다르지 않게 될 것이라는 사실을 알고 있었다. 하지만 그동안 받았던 무시와 상처가 그의 판단을 흐리게 하고 있었다.

순수한 마음 대신 복수의 불씨가 타오르고 있는 자신을 발견했다.
무자비한 자연의 법칙을 노트에 적으며, "누군가를 잡아먹는 행위는 그저 생존을 위한 것이지 선악의 잣대는 존재하지 않았다. 사자가 사슴을 사냥한다고 해서 그것이 악일 수 있는가? 그렇다면 인간의 도덕적 기준은 어디에서 오는 걸까?" 고민에 빠졌다.

책장에서 철학책을 꺼내 한 페이지를 펼쳤다. 인간의 도덕과 윤리에 대한 논쟁이 적혀 있었다. "도덕적 기준이란, 상류층이 자신의 이익을 위해 정의한 것일까?" 영환은 생각했다. "노동력에 순응하도록 만들고, 사람들을 통제하도록 만들어진 것이 아닐까? 그렇다면 내가 지금 느끼는 죄책감도 단지 사회가 나를 통제하기 위한 도구일 뿐일지도 모른다."

고개를 저었다. 그의 마음속에서 선과 악의 기준이 흔들리고 있었다. "만약 자연의 법칙이 진정한 기준이라면, 그녀를 향한 복수도 자연스러운 일일지 모른다. 약육강식의 세계에서, 나는 그저 내면의 생존을 지키기 위해 싸우는 것뿐이다."

그는 책상 위에 놓인 노트를 집어 들었다. 고민을 적던 노트를 한 장 앞으로 넘기자, 그녀에게 받은 상처와 무시의 말들이 적혀 있었다. "나보다 연봉도 적고, 매력도 없고, 너무 느려서 답답해요." 그녀의 말들이 가슴에 날카로운 비수처럼 박혔다. 그 말을 잊을 수 없었고, 불씨인 복수심이 싹을 틔우기 시작했다.

노트를 덮고, 기도하기 위해 눈을 감았다. "신이시여, 제게 지혜를 주십시오. 이 어두운 길을 택하지 않도록, 제가 더 나은 사람이 될 수 있도록 도와주십시오." 그의 마음은 여전히 혼란스러웠다. 복수의 욕망은 너무도 강력했고, 억누르기 어려웠다.

영환은 라감의 배신으로 인한 상처가 아직도 생생했다. 가슴 속 깊은 곳에서 분노가 불타올랐다. 그는 그 상처를 치유할 수 있는 유일한 방법은 복수라고 믿었다. 그는 그녀에게 받은 상처를 되돌려주기로 했다. 그리고 그날 밤, 복수의 계획이 시작되었다. 그녀에 대한 정보를 하나씩 수집하며 약점을 찾기 위해 어떤 수단도 가리지 않았다. 그녀의 삶을 철저히 분석하고, 무너뜨릴 방법을 찾기 위해 밤낮을 가리지 않았다. 그의 마음속에는 차가운 분노가 자리 잡고 있었다. 받은 상처를 절대로 잊지 않을 것이며, 그보다 더 큰 고통을 안겨주겠다고 다짐했다. 그 다짐은 행동으로 옮겨갔고, 모든 것을 걸었다.

"그녀가 내게 준 모든 상처를 갚아주리라. 내가 받은 고통을 그대로 돌려주리라." 그는 자신의 마음속에 불타오르는 복수심을 느끼며, 그것이 자신을 앞으로 나아가게 할 유일한 원동력임을 깨달았다. 싹을 틔운 불씨가 화염이 되어 불기둥이 되었다.

책상 위의 사진을 집어 들고, 찢어버렸다. 과거의 행복한 기억을 지워버리고, 복수의 길로 나아가기로 했다. 그의 마음속에서 선과 악의 고뇌는 끝이 났고, 복수의 계획을 구체화하기 시작했다. 그녀에게 받은 상처와 무시로 이제 그는 화염 속 불기둥의 중심이 되어 하염없이 위로 타올랐다. 그 순간부터, 그의 삶은 복수의 불씨에 지배되기 시작했다. 자신의 계획이 완성되어 가는 것을 보며 미소 지었다. 자신이 옳다고 믿었다. 받은 상처를 갚아줄 가치가 있다고 생각했다. 그리고 그는 그것을 위해 무엇이든 할 준비가 되어 있었다.

앞으로 어떤 일이 벌어질지, 그 누구도 알 수 없었지만 한 가지는 분명했다. 그의 복수는 철저한 계획 속에 치밀하게 진행될 것이며, 그녀는 그로 인해 무너질 것이다. 결심을 굳히자, 입가에 미소가 피어오르기 시작했다. 겨울 아침에 첫눈이 살며시 내리는 것처럼, 작고 은은하게 시작된 미소는 어느덧 입꼬리가 천천히 올라가면서 섬뜩한 기운이 감돌았다. 차가운 겨울바람에 흩날리는 눈송이처럼 날카롭고, 살을 에는 듯했다. 저주받은 그림 속에서 튀어나올 법한 입가에 드리워진 곡선이 무언가를 암시했다.

1

계산된 마음

무의식 속에서 싹트는 씨앗은 우리가 의식하지 못할 때도 일어난다. 어릴 적의 영환은 언제나 혼자였다. 그의 세계는 단단한 벽으로 둘러싸여 있었고, 외부 세계는 먼 훗날의 일로만 여겼다. 그리고 마음속에 항상 복수의 씨앗을 심어두었다. 집요함과 지성으로 남들과 경쟁하는 것을 즐겼고, 흔히 살면서 적으로 두면 안 되는 사람들의 특징을 지니곤 했다.

그런 그의 삶에 변화가 찾아왔다. 회사 회식 장에서 라감을 만났다. 그녀의 활기찬 에너지와 따뜻한 미소는 그의 마음을 사로잡을 만했다. 그녀는 영환에게 새로운 시야를 보여주었고, 그의 삶에 새로운 의미를 주었다.

1-1 첫 만남

서울의 한 고급 레스토랑, 밤의 화려함이 회식의 열기 속에 녹아들었다. 고급 샹들리에가 반짝이며 공간을 환히 밝혔고, 테이블 위에는 눈부신 샹들리에 아래, 다양한 음식들이 아름답게 진열되어 있었다. 공무원 생활 7년 차, 7급 공무원인 영환은 오랜만에 회식 자리에 참석했다. 오늘은 특별히 다른 회사의 직원들도 초대된 자리였다. 그의 몸은 가벼운 긴장감을 두르고 자리에 앉았다.

저녁 식사가 시작되고, 여러 명이 인사를 나누며 명함을 교환하는 동안, 영환은 주위를 둘러보았다. 그때, 그녀가 들어왔다.

라감. 그녀는 메이저 공기업에 다니는 4살 어린 직원이었다. 그녀의 존재는 그 공간을 더욱 밝게 만들었다. 그는 그녀를 처음 본 순간, 가슴이 두근거렸다. 그녀의 존재는 겨울의 따뜻한 햇볕처럼 그의 마음을 녹였다.

그녀는 키 169cm의 늘씬한 체구를 가지고 있었다. 길고 가는 다리는 마치 조각된 듯 매끄럽고, 우아한 자태를 자랑했다. 동양적인 얼굴은 고전적인 아름다움과 현대적인 세련미를 동시에 지니고 있었다. 작은 얼굴에 선명하게 자리 잡은 눈은 심해로 빨려가듯 깊고 진한 검은색으로, 내면의 강인함과 지혜를 담아냈다. 높은 콧대와 곡선미를 자랑하는 입술은 차분한 미소를 띠며, 온화한 성격을 드러냈다. 긴 머리카락은 흑단처럼 검고 윤기 나며, 어깨를 부드럽게 감쌌다. 그 머리카락은 에어컨 바람에 날리면 검은 비단처럼 빛났다. 피부는 흰 도자기처럼 깨끗하고 투명해 보였다. 목소리는 부드럽고 따뜻하며, 듣는 이를 편안하게 만드는 매력을 지녔다.

그녀는 그저 아름답기만 한 것이 아니었다. 외모는 자신이 처한 어려움에도 불구하고 절대 굴하지 않는 강인한 정신도 지녔다. 몸짓 하나하나에도 결단력과 품위가 묻어났다.

그녀는 동료들과 인사를 나누며 자연스럽게 사람들 사이에 녹아들었다. 마음속 깊은 곳에서 그녀와 이야기를 나누고 싶은 충동을 느꼈다.

테이블 위에는 다양하고 화려한 음식들이 가득 놓여 있었다. 싱싱한 회부터 정갈하게 담긴 한식 반찬들, 그리고 주방장이 직접 준비한 특선 요리들이 먹음직스럽게 차려져 있었다. 그중에서도 돼지수육이 특히 눈에 들어왔다. 담백한 고기와 함께 한쪽에는 잘게 썬 파와 마늘, 새우젓이 곁들여져 있었다.

영환은 한 손에 젓가락을 들고 수육 한 점을 집으려 했다. 그 순간, 반대편에서 그녀도 같은 생각을 한 듯 젓가락을 내밀었다. 두 사람의 젓가락이 허공에서 부딪혔다. 찰나의 순간, 두 사람은 서로의 눈을 마주쳤다.

그녀는 당황한 듯한 미소를 지으며 젓가락을 살짝 뒤로 물렸다. "아, 죄송해요. 먼저 드세요."

영환은 미소를 지으며 말했다. "아니에요, 먼저 드세요. 제가 조금 늦었네요." 그리고 "처음 뵙겠습니다." 영환은 용기를 내어 말을 걸었다. "저는 영환입니다. 7급 공무원으로 서울 시청에서 일하고 있어요."

그녀는 밝은 미소를 지으며 수육을 한 점 들며 말했다. “반가워요, 영환 씨. 저는 라감이에요. 메이저 공기업에서 일하고 있어요. 오늘이 자리에서 좋은 사람들을 많이 만나게 돼서 기뻐요.”

“저도 그래요. 이렇게 좋은 분들을 만나게 되어 영광입니다.” 영환은 그녀의 눈을 바라보며 말했다. 그의 눈은 여전히 그녀를 응시하고 있었고, 그녀도 그 시선을 피하지 않았다. 고급 레스토랑의 화려한 조명 아래, 두 사람의 눈빛이 교차하는 순간은 마치 영화의 한 장면처럼 느껴졌다. 주위의 소음과 사람들의 웃음소리조차도 이 순간만큼은 잔잔한 배경음처럼 멀어져 갔다.

그날 밤, 둘은 많은 이야기를 나누었다. 그녀가 고양이를 키운다는 얘기부터 책을 좋아한다는 얘기까지, 다양한 이야기로 그들의 밤을 채웠다. 그는 그녀의 솔직하고 친절한 태도에 더욱 매료되었고, 회식이 끝나갈 무렵 그녀에게 자신의 전화번호를 건넸다. 그녀는 살짝 웃으며 번호를 받아 적었고, ″다음에 같이 저녁 먹어요, ″라며 제안했다.

회식이 끝난 후에도 영환은 그녀의 얼굴이 떠올라 쉽게 잠들 수 없었다. 그녀와의 만남은 깊은 인상을 주었다. 그는 그녀를 다시 만나 많은 시간을 함께 보내고 싶었다.

다음날, 그는 그녀를 찾기 시작했다. 그녀의 회사와 관련된 행사에 꾸준히 참석하며, 만날 기회를 엿보았다. 그의 노력은 결국 열매를 맺었다. 몇 주 후, 또 다른 회사 행사에서 그들은 다시 만났다.

"라감 씨, 또 뵙게 되네요!" 영환은 반가운 마음에 소리쳤다.

그녀는 놀란 표정으로 돌아보았다. "영환 씨! 정말 반가워요. 여기서 또 만나다니, 인연인가 봐요."

"그러게요. 이런 자리에 와서 라감 씨를 만나니 정말 기뻐요." 영환은 환하게 웃으며 말했다.

그 후로 그는 1년 동안 그녀를 따라다니며 다가가기 위해 노력했다. 그녀가 좋아하는 카페를 함께 가고, 주말마다 그녀가 즐기는 클라이밍 활동에 동참했다. 그녀는 처음에는 그의 끈질긴 노력에 당황했지만, 점차 그의 진심을 이해했다. 그들은 함께 많은 시간을 보내며 가까워졌다. 그러나 라감의 마음속에는 깊은 상처가 있었다. 과거의 아픔이 그녀를 괴롭혔고, 그 아픔을 잊기 위해 자신을 다독였다. 그는 그녀의 상처를 치유하고 싶었지만, 그녀는 마음의 문을 쉽게 열지 않았다.

어느 날, 라감은 영환에게 말했다. "영환 씨, 사실 저에겐 말하지 못한 아픔이 있어요. 그 아픔 때문에 누군가와 진지한 관계를 맺는

게 두려워요." 그는 그녀의 손을 잡고 진심으로 말했다. "라감 씨, 저는 당신을 사랑해요. 당신의 아픔까지도 함께하고 싶어요. 천천히라도 좋아요, 당신이 편해질 때까지 기다릴게요."

라감은 영환의 말에 눈물을 흘렸다. "고마워요, 영환 씨. 하지만 제 상처는 너무 깊어요. 당신에게 상처를 주고 싶지 않아요."

그 후로 라감은 그와의 관계를 정리하기로 했다. 그녀는 자신의 아픔을 더는 전가하고 싶지 않았다. 그는 그녀의 결정을 받아들여야 했고, 둘의 사랑은 그렇게 끝이 났다.

영환은 깊은 슬픔에 잠겼지만, 라감의 행복을 위해 그녀의 결정을 존중하기로 했다. 그는 그녀와의 추억을 소중히 간직하며, 그녀가 행복하길 진심으로 바랐다. 마음속에는 여전히 그녀의 미소와 따뜻한 눈빛이 남아 있었다. 그 사랑은 마음속 깊은 어딘가에서 울리고 있었다.

7개월 뒤, 우연한 만남

영환: (가득 찬 포도주잔을 들며) "무엇을 기다리나요, 라감씨?"

라감: (따뜻한 미소를 지으며) "오늘 밤, 나에게 기다림이라는 게 없네요. 오로지 이 순간만을 즐기고 싶어요."

영환: (씁쓸한 미소를 짓다가) "그렇군요. 그러면 제가 여쭤볼게요. 당신의 순간은 이제 저와 함께할 용기가 있나요?"

라감: (의아한 표정으로) "용기가 필요한 상황인가요?"

영환: (부드럽게) "네, 제게는 그렇게 느껴지는군요."

영환: (라감에게 가까이 다가가며) "당신은 나에게 새로운 세계를 보여주었어요. 하지만 그 세계는 나에게 닫혔죠."

라감: (미소를 감추며) "저도 모르게 당신을 상처 주었다면, 죄송합니다."

영환: "그건 제 잘못이에요. 나 자신을 바꿀 용기가 없었던 거죠."

라감: "당신이 바뀌지 않아도, 제가 당신을 이해할 수는 있어요."

영환: (의아한 눈빛으로) "정말인가요?"

영환과 라감은 업무를 통해 우연히 다시 만났다. 그들의 재회는 감회가 새로웠고, 그녀는 그를 다시 받아들였다.

그녀와의 관계가 다시 시작된 후, 함께하는 시간이 늘어날수록 그녀의 새로운 모습도 알게 되었다. 처음에는 그녀의 밝고 활기찬 모습에 매료되었지만, 시간이 지나면서 그녀의 성격에서도 어두운 면이 드러나기 시작했다. 상대방을 무시하고 존중하지 않았다. 제멋대로 속물인 한국 20대 일부 여자들과 같이 그녀의 태도는 종종 냉담했다.

영환은 7년 차 공무원으로서의 자부심이 있었지만, 그녀는 그의 직업을 무시하는 듯한 태도를 보였다. "공무원이라 그런지, 좀 느린 것 같아요." 그녀의 농담 섞인 말은 그에게 상처를 주었다. 가끔 그를 존중하지 않는 듯한 말과 행동을 했고, 그는 그것을 참고 넘어가려 했지만, 점점 쌓여가는 감정은 마음을 무겁게 만들었다.

어느 날, 그들의 작은 다툼이 모여 폭발했다. 그녀의 회사 행사에 초대받아 함께 간 자리에서, 그녀는 영환을 동료들에게 소개하며 경솔한 발언을 했다. "영환 씨는 공무원인데, 가끔 너무 느려서 답답해요." 주변 사람들이 웃음을 터뜨렸지만, 그는 얼굴이 굳어졌다.

집으로 돌아오는 길, 영환은 참지 못하고 터뜨렸다. "라감, 도대체 왜 나를 그렇게 무시해요? 내가 느리다고? 공무원이라서 답답하다고? 당신은 내가 얼마나 열심히 일하고 있는지 전혀 이해하지 못해요."

라감은 당황한 표정으로 그를 바라보았다. "그런 뜻이 아니었어요. 그냥 농담이었어요."

"농담이라기엔 너무 심했어요. 당신이 나를 존중하지 않는다는 느낌이 들어요." 영환은 단호한 목소리로 말했다.

그 이후로도 둘 사이의 갈등은 점점 심해졌다. 그녀는 여전히 그의 노력과 성취를 충분히 인정하지 않았고, 그의 자존심은 계속해서 상처받았다.

라감: "나보다 연봉도 적고, 왜 이렇게밖에 못해요?"

영환은 자신의 부족함을 느끼면서도, 라감을 사랑했다. 하지만, 그녀는 항상 친구들과의 약속을 우선시하고, 그의 마음은 점점 더욱 식어갔다.

영환: (내심 안타깝게) "나는 그렇게 생각하지 않아. 하지만 너는 나를 이해하지 않으니, 어쩔 수 없지."

라감: "나는 나를 위해 먼저 생각해야지. 너의 감정에 신경 쓰고 싶지 않아."

영환은 실망스럽게 고개를 숙였다. 그의 마음속에는 쓸쓸함과 내면의 불꽃이 얽혀 있었다.

(라감의 친구들과의 약속)

그녀는 항상 친구들과의 약속을 우선시했다. 영환은 그것이 마음에 들지 않았다. 그녀가 항상 친구들과의 시간을 중요시하는 것을 보며, 영환은 상대방이 자신을 소중히 여기지 않는다고 느꼈다. 그의 마음은 점점 더욱 차가워져 갔다.

(카페에서)

영환은 눈 앞에 펼쳐진 창밖의 풍경을 바라보며 깊은 탄식을 내쉬었다. 그의 마음은 아직도 그녀에게 향했지만, 그녀의 무관심은 그를 상처 주고 있었다. 커피가 식어가는 동안 영환은 생각에 잠겼다. 라감과 자신 사이의 거리가 점점 더 멀어지고 있다는 느낌이 강하게 들었다. 그녀는 그의 눈치도 못 채고 자신만의 세계에 빠져 있었다. 이 관계를 풀고 싶었지만, 무엇을 이야기해야 할지 몰랐다. 그저 한숨만 내쉬었다.

(퇴근 후 그녀의 집 앞 벤치에서)

그녀가 그를 향해 다가오며 말했다. “왜 이렇게 혼자 앉아 있어? 뭐 하고 있었어?” 영환은 천천히 고개를 들었다. ″그냥 생각 좀 했어.″ 그녀는 그가 앉아 있는 벤치 옆자리에 앉았다. 그녀의 표정에는 약간의 놀람이 섞여 있었다. ″무슨 생각?″ 영환은 잠시 망설이

다가 말했다. "너와 나 사이에 대해서." 그녀는 고개를 갸웃하며 물었다. "우리 사이에 무슨 문제라도 있어?" 영환은 그녀의 눈을 바라보며, 차분하지만 진지한 목소리로 말했다. "나는 네가 친구들과 시간을 보내는 걸 이해해. 하지만 난 네가 나와도 시간을 좀 더 보내주었으면 해. 가끔은 나도 네게 중요했으면 좋겠어."

그녀는 그 말에 놀라며 몇 초 동안 침묵을 지켰다. 그제야 영환의 마음을 조금이나마 읽을 수 있었다.

"미안해요, 그런 기분을 느끼게 해서."

영환은 고개를 끄덕였다. "이해해줘서 고마워. 그냥 나도 네게 중요한 사람이 되고 싶어." 그 순간, 그들은 서로의 마음을 조금 더 이해하게 되었다.

그녀는 친구들과의 약속을 중요하게 생각하지만, 이제는 영환에게도 좀 더 신경을 써야 한다는 것을 깨달았다. 그들은 그날 밤 수목원을 걸으며 각자 집으로 돌아갔다. 당시 서로의 손을 잡고, 둘 사이에 따뜻함이 흐르기도 했다. 비록, 아직 문제들이 해결된 것은 아니었지만.

1-2 불씨

그를 무시하는 태도가 눈에 띈 것은 그들의 첫 공식적인 데이트 때였다. 저녁 식사를 마치고 카페에 앉아 이야기를 나누던 중, 라감은 자신의 직장을 자랑하며 말했다. "영환 씨, 우리 회사는 정말 대단해요. 연봉도 높고, 혜택도 많고. 사실 공무원 연봉은 우리 회사랑 비교하면 좀 아쉬운 편이죠."

영환은 그 말을 들으며 씁쓸한 미소를 지었다. "그렇군요. 그래도 공무원은 안정적이고, 사회에 이바지하는 일이 많아서 보람을 느끼죠."

"물론이죠. 하지만 가끔은 그런 안정성이 너무 지루하게 느껴지지 않아요?" 라감의 말은 영환의 자존감에 흠집을 냈다.

또 다른 날, 영환은 라감과 영화를 보러 가기 위해 약속을 잡았을 때, 그녀는 약속 시각을 어기고 나타나지 않았다. 그녀는 기분이 좋지 않다는 이유로 연락도 없이 잠적하곤 했다. 그는 기다리다 지쳐 전화를 걸었을 때, 그녀가 차갑게 말했다. "미안해요, 기분이 좀 안 좋았어요. 나중에 다시 연락할게요." 그러고는 전화를 끊어버렸다. 이런 일이 반복될수록, 영환은 그녀가 상대방을 배려하지 않는다는 생각에 점점 더 상처를 받았다. 그녀의 무관심과 배려 없는 행동은 그를 점점 더 외롭게 만들었다. 그는 그녀의 자기중심적인 언행을 참기 힘들었지만, 그녀를 사랑하는 마음에 꾸준히 참아왔다.

가장 큰 상처는 그녀의 입이었다. 라감은 영환을 무시하는 말을 계속 내뱉곤 했다. "영환 씨, 좀 더 매력적으로 보이려면 외모에 신경을 좀 써야겠어요. 지금 모습도 괜찮지만, 가끔은 너무 평범해 보여요."

그녀는 영환이 준비한 선물을 받으면서도 그의 성의를 무시하는 듯한 반응을 보였다. "고마워요. 하지만 이거 너무 평범하지 않아요? 다음번엔 좀 더 특별한 걸 기대할게요."

어떤 날, 영환은 힘든 하루를 보내고 그녀에게 위로를 구했을 때, 라감은 그의 이야기에 무관심하게 반응했다. "영환 씨, 누구나 힘든 날이 있어요. 그렇게 신경 쓰지 말고, 그냥 잊어버리세요." 작은 무시와 비교는 영환의 자존감을 계속해서 갉아먹었다. 그는 그녀를 위해 최선을 다했지만, 그녀는 항상 그에게 부족하다고 느끼게 했다. 자신의 가치와 노력을 인정받지 못한다는 생각의 뇌세포가 자리 잡고 있었다.

그녀는 경상도 특유의 직설적이고 배려 없는 화법을 구사하는 여성이다. 친구들 사이에서는 헌신적이고 친절해 보이지만, 실제로는 자기중심적인 행동이 잦다. 늘 친구들을 챙기는 것처럼 보이지만, 이기적인 의도가 곳곳에서 드러난다. 자신이 중심이 되지 않으면 불만을 표출하며, 기분이 나쁘면 주변 사람들을 아랑곳하지 않고 자신의 감정에만 집중한다. 긴 생머리를 자연스럽게 흘러내리게 하고, 언제나 트렌디한 패션으로 겉은 완벽해 보이지만, 그녀의 내면은 꽤 복잡하다.

한 번은 친구들과 카페에 모였을 때, 갑자기 자리를 박차고 일어나며 "나 먼저 갈게. 재미없다."라고 말해 주변을 어리둥절하게 만들었다. 친구들이 걱정하며 따라나섰지만, 그녀는 그들의 배려를 무시한 채 "너희끼리나 재밌게 놀아라"라며 퉁명스럽게 답했다.

라감이는 싸움이 일어나면 대면하기를 피하고 숨는 경향이 짙다. 누군가와 갈등이 생기면 대화로 해결하려 하지 않고, 오히려 연락을 두절하거나 사람들 앞에서 피곤해하는 척하며 숨어버렸다. 말다툼이 벌어지곤 하면, 며칠 동안 연락을 끊고 연락에도 응답하지 않았다. 자신이 불리하다고 느끼면 언제나 회피하는 것이 그녀의 방식이었다.

그녀는 영화를 보러 가기로 한 날, 회사에서 스트레스를 받아 약속을 잊고 쇼핑몰로 향했다고 한다. 왜 약속을 어겼냐는 질문에, "내가 스트레스받아서 그랬다. 네가 이해해줘야지"라고 말하며 책임을 회피한다.

언제나 자신의 기분이 우선이었다. 회사에서의 일이 마음에 들지 않아 용역사에게 "이런 보고서는 내 스타일이 아니라서 못하겠어요"라고 단칼에 말해 용역사들의 어이가 없게 만들었다. 그녀의 행동은 때때로 주위 사람들을 당혹스럽게 만들었지만, 그럴 때마다 "나는 솔직해서 그렇다"라며 자신의 태도를 정당화했다. 이처럼 그녀는 겉보기에는 친구들을 잘 챙기는 따뜻한 사람 같지만, 실제로는 이기적이고 고집스러우며, 불리한 상황을 회피하는 성격을 가진 20대 여성이다. 그녀의 행동은 요즘 세대의 특유의 싹수없는 면모를 드러내며, 언제나 자기중심적인 사고방식에서 비롯된 것이었다.

영환과 이런 라감의 관계는 점점 더 허물어져 갔다. 그는 퇴근 후 꽉 막힌 도로에서 답답함을 느끼며 운전 중이었다. 차들은 꼼짝도 하지 않고, 경적은 귀를 먹먹하게 만들었다. 그날 저녁 그녀와의 싸움이 떠올랐다. 두 사람은 차 안에서 서로 날카로운 말을 주고받으며 다투고 있었다.

그녀는 조수석에 앉아 팔짱을 낀 채 영환을 쏘아보았다. "영환, 너는 왜 이렇게 운전을 못 해? 이렇게 막히는 도로에서 이리저리 끼어들기만 하면 더 막히는 거 몰라?"

그는 애써 침착하려고 노력했지만, 그녀의 비난에 속이 끓어올랐다. "라감, 지금 상황에서 내가 할 수 있는 게 뭐가 있어? 도로가 이렇게 막혔는데 내가 어떻게 하란 말이야?"

그녀는 한숨을 쉬며 고개를 저었다. "진짜 답답하네. 네가 좀 더 잘 운전했으면 이런 상황이 안 생겼을 거 아니야. 항상 이런 식이야. 매사에 미숙하고 어설프기만 하고."

영환은 그녀의 말이 가슴에 비수처럼 꽂혔다. "라감, 너도 알잖아. 나름대로 최선을 다하고 있는데, 왜 이렇게 몰아붙이는 거야?"

라감이는 냉소적인 웃음을 지으며 말했다. "최선을 다한다? 그게 네 최선이라면 정말 실망스럽다. 너는 항상 이런 식이야. 운전 하나

제대로 못 하면서 무슨 큰일을 할 수 있겠어?"

영환은 절대 참을 수 없었다. "라감, 네가 그렇게 생각한다면 왜 나랑 계속 있는 거야? 너도 잘하는 게 없으면서 남한테만 잘못을 돌리는 게 네 특기 아니야?"

라감이는 눈을 가늘게 뜨며 말했다. "너, 지금 뭐라고 했어? 내가 잘하는 게 없다고? 네가 정말 나한테 그런 식으로 말할 자격이 있다고 생각해?"

영환은 숨을 크게 들이마시며 말했다. "네가 나한테 하는 말들이 얼마나 상처가 되는지 알아? 너는 항상 비난하고, 불만만 늘어놓잖아."

라감이는 고개를 돌려 창문을 내리고 밖을 바라보며 말했다. "알겠어, 영환. 더 말하고 싶지 않아. 네 말대로 내가 다 잘못했어. 이렇게 말하면 네가 좀 만족하겠지?"

영환은 무거운 침묵 속에서 운전대를 더욱 꽉 쥐었다. 그녀의 차가운 태도와 비난이 짜증 났지만, 말다툼을 계속할 기운이 없었다. 도로에서의 답답함이 절정에 달하자, 영환은 힘겹게 식당에 도착했다. 그는 주차 공간을 찾느라 애를 먹었고, 결국 식당 가까운 곳에 일단 세웠다.

그녀는 이 상황이 참을 수 없다는 듯이 차 문을 힘껏 밀어 열었다. "정말, 이런 것도 못 하다니!" 차에서 내리며 큰 소리로 불평했다. 그리고 차 문을 쾅 닫고는 식당 입구로 성큼성큼 걸어갔다. 문이 닫히는 소리가 주변을 울렸고, 그의 귀에는 폭발음처럼 들렸다.

차 내부는 싸움의 여운이 가득했다. 그는 고개를 돌려 뒷좌석에 놓인 꽃다발을 바라보았다. 화려한 장미와 백합으로 이루어진 그 꽃다발은 그녀를 위해 준비한 깜짝 선물이었다.
"이걸 왜 준비했지?" 영환이는 자신에게 물었다. "그녀가 기뻐할 거로 생각했는데…. 아무 소용이 없었어." 그는 핸들 위에 팔을 올리고 고개를 숙였다. 싸움의 여운이 가시지 않은 상황에서 꽃다발을 건네는 것은 오히려 더 큰 상처가 될 것만 같았다.

그녀의 차가운 말들이 머릿속을 맴돌았다. "정말 어떻게 이렇게 운전을 못 해?" 그녀의 목소리가 계속해서 떠올랐다. "도대체 무슨 생각으로 그렇게 하는 건데?" 꽃다발을 건네려던 마음은 이미 사라지고 없었다. "지금은 아닌 것 같아," 그는 속으로 다짐했다. 그리고 뒷좌석에 놓인 꽃다발을 다시 한번 바라봤다. 그 꽃들은 지금 이 순간 그저 무력하게 느껴졌다.

주차하고 잠시 멍하니 서 있었다.

그녀는 식당 안에서 인스타그램에 올릴 사진을 찍고 있었다. 초밥의 윤기와 신선한 색감을 포착하려는 눈빛은 진지했다. 접시에 담긴 연어 초밥을 휴대전화 카메라로 담아내며, "완벽해," 작은 미소를 지으며 사진을 확인했다. 그녀의 표정은 몇 분 전의 싸움과는 전혀 다른, 평온한 모습으로 바뀌었다.

사진을 몇 장 더 찍은 후, 그녀는 인스타그램에 올릴 문구를 생각했다. "오늘의 맛있는 저녁," 그녀는 캡션을 달며. 휴대전화 화면 속에서 그녀의 삶은 완벽해 보였다. 영환이는 그런 그녀의 모습을 가게 창문 너머로 보며, 꽃다발을 건네지 않기로 했다. 그녀가 자신의 마음을 이해할 수 있을까? 아니, 어쩌면 이해할 필요도 없겠지.

"오늘은 아닌 것 같아," 그는 조용히 중얼거렸다. 꽃다발은 뒷좌석에 그대로 두기로 했다. 감정을 추스르며, 그녀와의 관계를 다시 생각해보았다. 그리고 식당으로 들어가면서도 일렁이는 분노를 억누르기 힘들었다.

식당 안으로 들어서자, 그녀는 불만스러운 표정을 지었다. "왜 이렇게 늦게 와? 여기서도 시간을 끌 거야?"

영환은 고개를 숙이며 자리에 앉았다. "미안해, 라감. 주차하느라 좀 걸렸어."

그녀는 그의 말을 듣지도 않은 듯 고개를 돌렸다. "변명하지 마.

언제까지 그렇게 미숙하게 굴 건데?"

그는 무슨 말을 해야 할지 몰랐다. 그저 조용히 앉아 그녀의 비난을 견디며…. 다시 도로 위 현실로 돌아온 영환은 한숨을 내쉬며 그녀의 얼음같이 차가운 말들을 되새겼다. 그날 그녀의 무례하고 가슴을 찌르는 듯한 말들이 갈기갈기 마음을 찢어놓았던 순간의 상처는 여전히 아물지 않았다. 그리고, 그들은 얼마 후 결별했다. 그들의 다툼은 점점 격해졌고, 냉랭한 분위기 속에서 끝이 났다. 그녀는 슬퍼하지 않았다. 그저 다음 약속인 바쁜 일정 속으로 사라져갔다. 영환은 그녀의 무관심에 분노하고 절망했다. 하지만, 그녀를 사랑하는 마음에 마지막으로 그녀의 회사로 선물을 보냈다. 재회와는 상관없이, 단지 그녀의 행복을 빌어주는 마음이었다.

그녀는 회사로 온 소포를 확인하고, 퇴근 후 집으로 가져왔다. 그리고 TV를 켜놓고, 소파에 앉아 그가 보낸 선물을 바라보았다. 화려한 포장지와 정교하게 묶인 리본이 눈에 들어왔다. 한숨을 쉬며 선물을 풀었다. 그 안에는 그녀가 한때 좋아했던 브랜드의 고급스러운 목걸이 들어 있었다. 한 장의 손편지도 함께 있었다. "네가 좋아하던 걸 기억하고 있어. 행복하길 바라." 영환의 섬세한 필체가 그녀의 심장을 찌르는 듯했다.

그녀는 굳어진 얼굴로 손편지를 구겼다. 이미 그와의 이별을 수없이 되새기며 마음을 다잡았다. 휴대전화를 꺼내 영환의 번호를 눌렀다. 통화 연결음이 몇 번 울리고 나서야 영환의 목소리가 들려왔다. "라감, 선물 받았어?" 영환의 목소리에는 여전히 따뜻함이 묻어 있었다.

그녀는 냉정하게 말했다. "영환, 다시는 나한테 연락하지 마. 한 번만 더 이런 선물 보내거나 연락하면, 경찰에 신고할 거야."

잠시 침묵이 흐른 후, 영환의 목소리가 차분하게 들렸다. "라감, 난 그저 네가 행복하길 바라는 마음에서…"

라감은 그의 말을 끊었다. "그만해. 이건 스토킹이야. 너의 마음은 이해하지만, 내 마음은 이미 정리됐어. 더 괴롭히지 말아줘."

그녀는 전화를 끊고, 눈을 감았다. 손에 쥔 목걸이는 차갑고 무거웠다. 그 선물은 이제 그녀에게 사랑의 상징이 아니었다. 그것은 그녀에게 잊힌 과거의 무거운 쇠사슬이었다. 그는 그녀의 삶에 다시는 들어올 수 없었다.

한편, 영환이의 마음속에는 이별의 아픔보다는 복수의 열망이 생겨났다. 어린 영환은 동네에서 조용한 골목길을 걷고 있었다. 어깨를 낮게 숙인 채 무심한 표정으로 주위를 둘러보며 몸을 약간씩 뒤틀었다. 냉혹한 시선으로 다가오는 아이들을 쳐다보며 군침이 돌았다. 한마디 말없이 그는 눈 아래로 검은 모자를 깊이 씌웠다. 어둠속에서 그의 눈동자는 마치 검은 구멍처럼 무덤덤하게 보였다.

어릴 적부터 부모와의 관계에서 깊은 상처를 입은 그는 부모의 기대와 비판에 둘러싸인 삶으로 자신의 가치를 의심하게끔 했다. 상처와 불안감은 자존감을 훼손시켰고, 그의 삶을 영원히 가로막았다. 다른 아이들과는 달랐다. 학교에서도 단짝 친구가 없었고, 어린이들의 놀이터에서 게임을 할 때 고독한 모습으로 구석에 앉아 있었다. 다른 아이들과의 소통이나 감정을 나누는 것을 피하며, 언제나 자신의 세계에 침묵 속에서 매서운 현실을 마주 보고 있었다.

그의 소시오패스 적인 성향은 자제력 부족에서 드러났다. 다른 아이들을 이용하거나 희생시키는 것을 망설이지 않았으며, 즉각적인 만족을 추구하는 모습을 자주 보였다. 목표에 도달하기 위해서는 어떠한 장애물도 두려워하지 않았다. 서서히 자신만의 세계를 구축하고, 주변을 자기의 목적에 맞게 조종하는 능력을 보여주었다.

그는 자신의 방 책상에 앉아 과거를 되돌아보았다. 어린 시절의 상처를 치유하고, 과거의 시나리오를 다시 쓰는 과정에서 자아를 발견했다. 부모들에게서 받은 상처를 인정하고 용서함으로써, 그는 과거의 무거운 짐을 덜어내고 새로운 시작을 할 수도 있었다. 도덕과 법을 떠나 복수가 아닌 자존감을 회복하는 일이 맞는지도 고민했다.

자아를 찾는 과정에서는 자주 좌절을 겪었고, 때로는 과거의 상처와 싸우는 것이 너무 힘들었다. 그리고 자아를 발견하는 과정에서 가짜 자아와 진짜 자아를 구별하는 법을 배웠다. 물질적인 만족이나 외부의 평가에 의존하는 것이 아니라, 자기 자신을 사랑하는 것이 얼마나 중요한지를 깨달았다. 그는 완벽하지 않은 자신을 받아들이고 사랑하는 법을 배우면서, 진정한 자존감을 얻는 방법도 알아냈다.

마지막으로 삼국지 책을 읽으며 복잡한 감정을 정리하기 시작했다. 어두운 방 안에서 조조의 이야기를 떠올리며 깊은 생각에 잠겼다. 조조의 냉철함과 잔혹함, 필요하다면 거리낌 없이 행동하는 그의 태도는 영환에게는 마치 베토벤의 교향곡처럼 강렬한 충격을 주었다. 베토벤의 교향곡 5번 "운명"이 울려 퍼지고 있었다.

"빠빠빠빰!" 강렬한 운명적 서곡이 방을 가득 채웠다. 영환은 그 음악 속에서 조조의 모습을 다시 보았다. 자신을 도와준 사람을 의심하고, 필요하다면 처단하는 모습. 전쟁에서 군사들의 사기를 높이기 위해 군량 관의 목을 베는 결단력. 영환은 그런 조조의 모습을 떠올릴 때마다 가슴이 두근거렸다. 내면 깊숙한 곳에서 일어나는 감정은 공포와 흥분이 뒤섞여 일어났다.

조조의 모습은 베토벤의 음악에서만 끝나지 않았다. 모차르트의 "피가로의 결혼" 서곡이 흐르는 순간, 영환은 또 다른 조조를 보았다. 전쟁에서 승리 후 혼자 공을 독차지하지 않고 말단까지 보상을 나눠주는 모습, 부하들과 이견을 조율하고 조화롭게 융합하는 모습. 그 경쾌하고 부드러운 음악 속에서 조조는 마치 인간적인 따뜻함을 지닌 인물로 느껴졌다. 영환은 그런 조조의 모습을 생각하며 잠시 미소를 지었다. 감정은 다시 한번 요동쳤다. 방 안에 울려 퍼지는 쇼팽의 발라드 1번 G단조, 작품번호 23을 들으며 그는 조조를 바라보는 자신의 시각이 얼마나 복잡한지 깨달았다. 쇼팽의 음악은 형식에 구애받지 않고 자유롭게 흐르며 듣는 이에게 다채로운 감정을 전달했다. 조조도 마찬가지였다. 그의 행동은 일관성이 없고 예측할 수 없었다.

영환은 그런 조조를 보며 자신을 투영했다. 조조의 이야기를 통해 자신을 재해석할 수 있었다. 때로는 냉혹하고, 때로는 인간적이며, 때로는 형식에 구애받지 않고 자유로운.

눈을 감은 채 피아노 건반을 눌렀다. 그의 손가락은 쇼팽의 발라드 1번의 앞부분을 연주했다. 서서히 고조되는 서정적인 멜로디가 마음속 깊은 곳에서 울려 퍼졌다. 그는 그녀를 떠올리며 복수를 상상했다. 피아노의 음 하나하나가 그의 감정을 대변하기 시작했다. 빠른 아르페지오는 분노를 나타냈다. 거칠고 격렬한 음들이 그녀에게 가하는 고통을 상징했다. 강렬한 포르테로 연주되는 부분에서는 그녀의 고통스러운 비명이 들리는 듯했다. 그녀를 궁지에 몰아넣을 때, 피아노는 격렬한 폭풍우처럼 울려 퍼졌다. 그리고 곡의 중반부로 넘어가며 연주는 서서히 부드러워졌다. 감정의 해소가 다가옴에 따라 멜로디는 차분해지고, 그의 손가락은 부드럽게 건반을 타고 흘렀다. 쇼팽의 아름다운 선율은 복수의 끝에서 오는 차가운 평온을 나타냈다. 그는 그녀가 쓰러진 모습을 상상하며 마지막 음을 연주했다. 그 순간, 복잡한 감정들이 어우러졌다.

2

복수의 씨앗

당시 회식의 혼잡한 분위기 속에서, 그녀의 미소는 그의 마음을 사로잡았다. 유머와 따뜻한 웃음을 섞어놓은 그녀의 매력은 모든 이의 주목을 받았다. 그의 눈은 그녀를 향해 끌려가는 듯했다.

그 순간, 그녀는 그의 세상에 불을 밝혀주었다. 혼자 있는 것이 익숙한 그에게 있어서 새로운 감정의 지평을 열어주었다. 그는 혼자만의 시간에서 벗어나 그녀와 함께하는 시간을 소중히 여겼다. 하지만, 그것은 그녀에게는 무의미했다. 그녀는 그의 노력을 돌아보지 않았다. 언제나 바쁜 척했고, 그녀의 관심은 그저 표면적으로 머물렀다. 그의 노력에도 불구하고, 그녀의 마음속에 들어가지 못했다. 그의 사랑은 그녀에게 그저 한 장의 카드일 뿐이었다.

복수의 감정이 타오르자 집요함은 그를 더욱 강력하게 만들었고, 영리함은 그를 더욱 불가항력적으로. 침착함은 그를 지성의 그림자로 이끌었다. 비로소 그녀를 향한 씨앗을 깊숙이 심었다.

자라나는 복수의 씨앗은 서서히 싹을 틔우고 있었다. 결코, 잊히지 않을, 영원한 그림자를 남기기 위해…. 영환은 자신의 지능과 통찰력을 활용하여 치밀하게 복수를 계획했다.

이별 후 3개월, 그는 공무원을 퇴사하기로 결단을 내렸다. 오랜 고민 끝에, 그는 자신의 가치를 인정받지 못하는 상황을 벗어나기로 한 것이었다. 마지막 출근 날, 동료들에게 작별 인사를 하며, 계획을 다각화했다. 그녀의 약점과 취약점을 파악하며, 무너뜨릴 방법을 찾았다.

먼저, 그녀의 직장 생활을 조사하기 시작했다. 그녀가 다니는 메이저 공기업에 대한 정보를 수집하며, 그녀의 업무와 인간관계에 대해 분석했다. 동료들과의 관계를 파악하고, 그녀의 평판을 무너뜨릴 방법을 찾기 위해 노력했다. 그 과정에서, 그는 그녀가 회사 내부 갈등이 있다는 문제점을 알아냈다. 직장에서의 작은 실수를 크게 부각하고, 그녀의 이미지에 타격을 줄 방법들을 계속 찾았다. 그녀의 동료들과 접촉하며, 그녀의 약점을 파고들었다. 그리고 교묘하게 그녀의 약점과 정보를 동료들에게 흘리며, 그녀의 신뢰를 떨어뜨렸다. 동료들 사이에서 그녀에 대한 신뢰가 무너지기 시작했고, 그녀의 평판은 점점 나빠졌다.

그녀는 자신도 모르는 사이에 직장에서의 입지가 흔들리고 있다는 것을 느꼈다. 알 수 없는 불안감에 시달렸고, 점점 더 예민해졌다. 동료들과의 관계도 소원해지며, 점점 고립되었다.

영환은 그녀가 혼란스러워하는 모습을 보며, 불씨가 제대로 자라나고 있음을 확신했다. 그는 더욱 철저하게 움직였다.

그 후 그녀의 회사 내부 정보에 접근하기 위해 해커를 고용했다. 그는 그녀의 이메일과 사내 메신저를 해킹해 그녀의 실수와 비밀을 찾아내고, 적절한 순간에 사내 게시판에 폭로했다. 동시에, 영환은 그녀의 개인 생활에도 개입했다. 그는 그녀의 친구들과의 관계를 망치기 위해 가짜 소문을 퍼뜨리고, 그녀의 주변을 둘러싼 문제를 고조시켰다. 그 결과, 그녀는 친구들에게서 멀어지고 외로워졌다. 복수의 불씨는 크게 타올라, 그 누구도 멈출 수 없었다. 그의 내면에는 더 큰 어둠이 번져갔다.

라감은 음모에 대해 의심은 하지만 정확한 이유를 알지 못했다. 그녀는 자신을 에워싼 문제와 어려움에 처맞으면서도 그가 그 모든 것의 배후에 있다는 것을 알지 못했다. 자신의 삶은 점점 더 혼란스러워지고, 그의 계획에 빠져들었다.

복수의 과정에서, 영환은 자신도 모르게 더 어두운 길로 빠져들었다. 그는 그녀의 삶을 망가뜨리기 위해 모든 수단을 가리지 않았고, 그 과정에서 자신의 인간성을 잃어갔다.

복수의 불씨는 이제 거대한 화염이 되어 그를 지배했다. 그녀가 고통받는 모습을 보며 자신이 승리했다는 느낌을 받았다. 그러나 복수가 진행될수록, 자신도 변해가고 있음을 느꼈다. 그는 점점 더 냉혹하고 무자비해졌고, 자신이 누구인지조차 잊어버리고 있었다. 거대한 화염은 그를 완전히 집어삼켰고, 그 커다란 불길 속에서 정체성을 잃어갔다.

그는 그녀의 행복한 얼굴이 담겨 있던 사진을 들고, 한쪽 벽 앞에서 있었다. 분노와 복수심으로 일그러진 얼굴과 함께 손에는 테이프를 쥐고 있었다.

그는 갈기갈기 찢어버린 사진의 조각들을 모아 벽에 붙였다. 그리고 그 사진을 보며 자신의 성기를 자극하기 시작했다. 그의 손은 격렬하게 움직이며, 본능적인 욕구가 조금씩 솟구쳐 나왔다. 그녀를 정복할 것이라는 결심으로 그의 몸은 뜨거워졌다. 그의 마음은 복수심으로 가득 차면서도 동시에 이끌리는 욕망에 두근거렸다. 그녀의 몸을 정복하고, 정신을 지배하는 것이 얼마나 큰 만족감을 줄지 상상할 때마다 몸은 더욱 뜨거워져 갔다. 자신의 성기를 계속 흔들었다. 그의 욕망은 점점 불타올랐고, 손의 움직임은 점점 격렬해졌다. 마침내, 복수심과 욕망을 마음껏 터뜨리며 그녀의 모든 것을 정복하겠다는 확고한 다짐을 재확인했다.

2-1 두 가지 사업

서울 시청의 흡연실은 회색 벽과 낡은 가구들 그리고 음료 자판기로 어우러졌다. 창문 너머로 보이는 빌딩 숲은 여느 때와 다름없이 바쁘게 돌아가는 도시의 풍경을 담아냈다. 그곳에서 영환과 민수는 담배를 피우며 대화를 나누고 있었다. 특유의 흡연실 담배 연기와 쿰쿰한 냄새가 공기에 머물렀다.

영환은 담배를 깊게 한 모금 들이마시고, 천천히 연기를 내뱉었다. 민수도 마찬가지로 담배를 피우며 영환을 바라보았다.

"영환, 요즘 무슨 생각을 그렇게 깊이 해? 뭔가 고민이 있는 것 같아." 민수가 걱정스러운 눈빛으로 물었다.

영환은 잠시 침묵을 지켰다. 그는 이 순간을 오랫동안 준비해왔지만, 막상 이야기를 꺼내려니 망설여졌다. 결심을 굳히고 입을 열었다.

"민수, 사실 너한테는 꼭 말하고 싶었어. 나, 공무원 생활을 그만두려고 해." 영환의 말에 민수는 놀란 눈빛으로 그를 바라보았다.

"뭐? 농담이지? 너 같은 인재가 왜? 여기서 우리랑 같이 일하는 게 얼마나 좋은데." 민수가 의아해하며 물었다.

"그냥 단순하고 안정된 삶이 나한테는 맞지 않는 것 같아. 내가 진정으로 원하는 건 더 큰 그림이야. 세상은 힘의 논리로 돌아가, 난 그 힘을 쥐고 싶어." 영환은 진지한 표정으로 답했다.

"힘의 논리라니, 무슨 말을 하는 거야?" 민수는 이해할 수 없다는 표정으로 되물었다.

"여기서 아무리 열심히 일하더라도, 우리는 톱니바퀴 일부야. 진정한 변화를 만들기 위해서는 체제를 뛰어넘어야 해. 그래서 난 사업을 시작할 거야. 탄소 배출권 중계모델 사업을 해보고 싶어, " 영환은 자신의 비전을 설명했다.

민수는 담배를 피우던 손을 멈추고, 영환의 얼굴을 진지하게 바라보았다. "정확히, 뭘 하겠다는 거야?"

"힘의 논리를 세상에 보여줄 거야." 영환의 눈빛에는 결연한 의지가 담겨 있었다.

"너 정말로 그렇게 할 수 있을 것 같아? 사업이 쉽지는 않을 텐데." 민수가 걱정스러운 표정으로 말했다.

"쉽지 않다는 건 알아. 하지만 난 준비가 되어 있어. 그리고 너도 알잖아. 우리 집안은 충분한 자금을 가지고 있어. 그 자금을 발판으로 삼아, 성공할 거야." 영환은 자신감을 내비쳤다.

민수는 한동안 생각에 잠겼다가, 결국 고개를 끄덕였다. "알겠어, 영환. 네가 정말로 그 길을 가겠다면, 난 응원할게. 하지만 무슨 일이 있어도 안전이 최우선이야. 너무 무리하지 말고."

"고마워, 민수. 너의 응원이 큰 힘이 돼. 난 반드시 해낼 거야." 영환은 미소를 지으며 말했다.

흡연실의 담배 연기가 두 사람의 대화를 감쌌다. 이후, 영환은 공무원 생활을 마무리했다. 회사를 떠나고 미국 실리콘밸리로 향하는 비행기에 앉았다. 긴장과 설렘이 섞여 있었다.

그의 눈은 좌석 테이블에 놓인 잡지 속 '단 하나에 집중해라'라는 문구가 들어왔다. 도미노를 넘어뜨리듯이, 지금까지의 일들이 모여 새로운 시작을 알리는 작은 첫걸음이라고 생각했다. 공무원으로서의 경력과 안정된 삶을 뒤로하고 미국 실리콘밸리에서의 도전적인 삶을 택한 것은 '단 하나'에 집중하는 결정이었다.

비행기 이륙 소리와 함께, 그는 과거 역사를 통해 변하지 않는 것에 주목했다. 모든 것이 변하더라도, 세상을 움직이는 단 하나의 힘은 변하지 않는다는 것을 깨달았다. 그는 그 힘에 집중하기로 마음먹었다. 그것이 바로 '단 하나'였다. 비행기가 천천히 활주로에 착륙할 때, 창밖을 바라보며 깊은 생각에 잠겼다. 도시는 어두운 하늘 아래에서 조용히 빛나고 있었다. 그는 도시의 불빛들이 마치 과거의 역사를 반영하는 듯한 느낌을 받았다. 그 불빛들 속에는 변하지 않는 진리가 숨어 있다.

고개를 돌려 창밖을 바라보았다. 그의 눈에는 단 하나의 목표만이 선명하게 보였다. 다른 모든 것은 그 목표를 이루기 위한 도구일 뿐이었다. 비행기가 활주로를 달리며 점점 속도를 줄일 때, 마음을 가다듬었다. 그것은 단순히 돈이나 권력이 아니었다. 그것은 세상을 움직이는 본질적인 힘이었다. 비행기가 완전히 멈추고, 승객들이 내리기 시작할 때, 천천히 자리에서 일어났다. 그는 자신의 마음가짐을 단단히 다지며, 앞으로 나아갈 준비를 마쳤다. 그의 목표는 명확했다. 그리고 그 목표를 이루기 위해 그는 어떤 어려움도 감내할 준비가 되어 있었다.

그는 비행기에서 내려 공항 터미널로 향하며, 자신이 앞으로 나아갈 길을 그려보았다. 세상은 변하겠지만, 그 변하지 않는 진리, '단 하나'의 힘을 놓치지 않을 것이다. 그것이 바로 그의 삶을 움직이는 나의 동력이자, 추구하는 유일한 진리였다.

고등학교 친구와 사업 시작

애플에서 일하는 고등학교 친구가 영환이의 사업 아이디어에 흥미를 보였다. 그 친구는 커피숍에서 만나 그의 아이디어를 덧붙여 발전 방향에 관해 이야기했다. 애플에서 7년간 일한 그 친구는 경험을 바탕으로 기술적인 지식과 비즈니스 감각을 제공했고, 영환이는 사업에 대한 열정과 뛰어난 경영철학을 내세우며 성공을 꿈꾸었다.

둘은 카페에서 마주 앉았다. 두 사람 모두 이 새로운 사업을 어떻게 시작해야 할지 막막했다.

"일호야, 아이디어는 있는데, 어디서부터 시작해야 할지 모르겠어," 흔들리는 눈빛으로 말했다.

"나도 마찬가지야. 하지만 내가 아는 유대인 멘토가 있어. 사업에 대한 조언을 구하면 큰 도움이 될 거야," 일호는 자신 있게 말했다.

그들은 곧바로 일호의 유대인 멘토, 야곱을 만나기로 했다. 야곱은 뉴욕에서 여러 성공적인 스타트업을 일군 경험이 있는 기업가였다. 그들은 뉴욕의 한 고급 레스토랑에서 야곱을 만났다. 야곱은 그들을 반갑게 맞이하며, 특유의 친근한 미소로 인사를 건넸다. "일호, 영환, 만나서 반갑습니다. 여러분의 비전에 대해 듣고 싶군요."

영환은 탄소 배출권 중계모델 사업에 관해 설명하기 시작했다. "우리는 탄소 배출권을 거래하는 중개 플랫폼을 만들고자 합니다. 기업들이 자발적으로 탄소 배출량을 줄이고, 그에 따른 배출권을 거래할 수 있도록 도와주는 것이 목표입니다."

야곱은 눈을 반짝이며 그들의 이야기를 들었다. "흥미로운 아이디어군요. 하지만 사업을 시작하려면 몇 가지 중요한 요소들이 필요합니다."

야곱은 차분하게 설명을 이어갔다. "첫째, 신뢰할 수 있는 파트너와 네트워크가 필요합니다. 탄소 배출권 시장은 매우 복잡하고 규제가 엄격합니다. 그러므로, 이 분야에 대한 깊은 이해와 경험이 있는 전문가들과의 협력이 필수적입니다."

그는 잠시 말을 멈추고, 두 사람의 반응을 살폈다. 영환과 일호는 진지하게 그의 말을 듣고 있었다.

"둘째, 플랫폼의 투명성과 보안성을 보장해야 합니다. 거래 과정에서 데이터의 신뢰성과 안전성이 매우 중요합니다. 이를 위해 최첨단 보안 기술을 도입하고, 정기적으로 시스템을 검토하고 업데이트하는 것이 필요합니다."

야곱은 세 번째로 중요한 요소를 강조했다. "셋째, 지속 가능한 비즈니스 모델을 구축해야 합니다. 단순히 중개 수수료를 받는 것만으로는 장기적인 성장을 보장할 수 없습니다. 고객들에게 지속적인 가치를 제공할 방법을 고민해 보세요."

그들의 대화는 계속 이어졌다. 야곱은 실제 경험을 바탕으로 구체적인 조언을 아끼지 않았다. 그는 그들에게 몇몇 주요 인사들을 소개해주겠다고 약속했다. "제 지인 중에 이 분야에서 활동하는 사람들이 있습니다. 그들과 만남을 주선해 드리겠습니다."

영환과 일호는 야곱의 깊은 조언 속에서 그의 네트워크와 경험으로 구체적인 사업 계획을 세우기 시작했다. 일호는 애플에서의 경험을 바탕으로 기술적 구현을 담당했고, 영환은 사업 전략과 마케팅을 맡았다.

며칠 후, 그들은 야곱이 주선해준 CEO와 미팅했다. CEO의 비서에게 예약을 확인하고 입장하는 영환이는 긴장과 기대로 가슴이 뛰었다. 그들의 프로토타입이 새로운 비즈니스 기회를 제공할 수 있다고 믿었다.

CEO의 사무실 문이 열리자, 그는 거대한 책상 뒤에 앉아 있었다.
"안녕하세요, 저는 영환이라고 합니다. 탄소 배출 사업 모델에 대한 아이디어를 공유하고 싶어서 왔습니다."
CEO는 영환이의 말에 귀 기울이며 웃음을 지었다. "탄소 배출 사업 모델이라면 제가 관심이 많습니다. 하지만, 단순 아이디어만으로는 충분하지 않을 거예요. 구체적인 계획이 필요합니다."

영환이는 프로토타입을 설명하고, 그의 비즈니스 모델과 협업을 제안했다. CEO는 영환이의 열정과 비즈니스 경영철학에 흥미를 느끼며, 협력할 수 있는지 고민했다. 그들은 서로의 강점을 인정하고, 함께 성장 가능한 비전을 이야기했다. 결국, 탄소 배출 사업 모델을 더욱 발전시키기 위해 함께 팀을 이뤘다.
다음으로 야곱의 소개로 만난 시장의 전문가들은 그들의 아이디어에 큰 관심을 보였다. 영환은 그들과의 협력으로 플랫폼의 신뢰성을 높이기 위해 마케팅 전략을 배우고, 일호는 기술적 문제를 해결하며 프로젝트를 점차 구체화했다. 계속해서 그들은 커피를 마시며 사업 아이디어를 토론하고, 멘토의 경험담과 지혜로운 충고를 받아 새로운 시각으로 사업을 론칭했다.

한 달 후, 중계 플랫폼의 베타 버전을 출시했다. 초기 사용자들의 반응은 긍정적이었고, 그들은 점점 더 많은 기업과 파트너십을 맺으며 확장해 나갔다. 야곱의 멘토링은 그들에게 큰 힘이 되었고, 그는 세상이 힘의 논리로 재편된다는 사실을 점점 더 깊이 깨달았다.

도덕과 정의, 그리고 인간의 본성이라는 개념들은 그에게 모호하고 가치가 없어 보였다. 힘이 강해질수록 인간들은 자신의 욕망을 위해 어디까지 갈지 모르는 존재이기 때문이다.

그는 혼자서 고민에 잠겨 있었다. "도덕과 정의가 무엇일까? 인간의 본성이란 무엇일까?" 스스로 물었다. "세력이 커지면, 우리는 어디로 향할까? 인간의 추악함 끝은 어디일까?"

중계모델 사업을 통해 얻은 힘과 지위가 그를 더 어두운 곳으로 유혹하고 있었다. 그는 그 힘이 어떤 결과를 낳을지를 깊이 고민했다. 그리고 힘만이 넘치는 세상에서 인간은 무엇을 추구해야 하는 걸까? 라는 질문에는 답할 수 없었다. 그의 고뇌는 계속되었고, 혼란스럽고 어려운 선택 앞에서 심연으로 빠져들었다. 내면에서는 갈팡질팡하는 불안과 고통이 여전히 피어오르고 있었다. 그리고 그것이 결국엔 그를 어디로 이끌지는 아무도 알 수 없었다.

영환은 일호와 함께 카페에 앉아 있었다. 창밖으로는 사람들이 바쁘게 오가는 모습이 보였고, 카페 내부는 조용하고 차분한 분위기였다. 영환은 커피를 한 모금 마시며, 머릿속에서 떠다니는 생각들을 정리하려 애썼다. 그는 철학적 의심을 구체적인 질문으로 바꿔보려 했다.

"일호, 세상이 정말로 힘의 논리로 돌아간다고 생각해?" 영환이 고개를 돌려 일호에게 물었다.

일호는 잠시 생각에 잠긴 듯 보였다. "음, 그렇지. 대부분은 힘이 모든 걸 결정짓는다고 할 수 있어. 하지만 왜 그런 질문을 하는 거야?"

영환은 창밖을 바라보며 깊은 한숨을 내쉬었다. "나는 복수를 위해 모든 것을 준비했어. 그런데 요즘 들어 이런 철학적 의심이 자꾸 머릿속을 맴돌아. 힘이 모든 걸 해결할 수 있는 건지, 아니면 내가 놓치고 있는 다른 중요한 요소가 있는 건지 말이야."

일호는 고개를 끄덕이며 영환의 말을 경청했다. "그렇다면, 그 의심을 구체적인 질문으로 바꿔보는 게 어떨까? 예를 들어, '힘이 모든 걸 결정짓는다면, 도덕과 정의는 어디에 있는가?' 같은 질문 말이야."

영환은 잠시 생각에 잠겼다. "그래, 그런 질문도 떠오르긴 해. 하지만 이 질문들이 내 복수에 어떤 도움을 줄 수 있을까? 복수를 위해선 단순히 힘이 필요할 뿐이지, 도덕이나 정의를 따질 필요는 없잖아?"

일호는 잠시 침묵을 지켰다. "그렇다면, 너의 복수는 단순히 힘으로만 이루어지는 건가? 혹시 너 자신에게 진정으로 묻고 싶은 질문이 있는 건 아닐까? 복수를 통해 얻고자 하는 것이 무엇인지, 그 끝에 무엇이 있는지 같은 질문들 말이야."

영환은 커피를 한 모금 더 마시며 깊이 생각에 잠겼다. "맞아, 복수를 통해 얻고자 하는 것이 무엇인지, 그 끝에 무엇이 있는지 생각해본 적이 없어. 단지 상대방에게 고통을 주고, 내가 느낀 고통을 되돌려주고 싶다는 생각뿐이었지."

일호는 고개를 끄덕이며 말했다. "그렇다면, 그 질문들을 통해 너의 진정한 목표를 찾아보는 건 어떨까? 단순히 힘으로만 이루어지는 복수가 아니라, 너의 삶에서 진정으로 추구하는 것이 무엇인지 말이야."

영환은 잠시 침묵을 지켰다. 그의 머릿속에서는 수많은 질문이 떠올랐다. '복수를 통해 내가 얻고자 하는 것은 무엇인가? 힘이 아닌 다른 방법으로 그녀에게 고통을 줄 수는 없는가?'
그는 결국 고개를 저으며 결론을 내렸다. "이런 질문하는 것 자체가 복수에 도움이 되지 않는다는 걸 깨달았어. 직접 실행에 옮기고 판단해도 늦지 않아. 그때 가서 복수의 진실을 찾아보자."

3

전략적 청사진

영환이는 실리콘밸리의 활기찬 거리에서 반짝이는 창문과 넘쳐나는 활기 속에서 걷고 있었다. 거리에는 스타트업의 에너지가 가득했고, 최신 기술의 혁신이 모든 코너에서 풍겨왔다.

그는 금수저 집안으로, 7억 원의 자금을 들고 미국 실리콘밸리에 왔다. 그리고 영환의 친구인 일호는 일하던 회사를 떠나고, 그와 함께 중계모델 사업에 동참했다. 그 친구와 멘토들의 협업으로 회사를 본격 창업하고, 혁신적인 기술과 비즈니스 환경을 활용하여 사업을 고도화시켰다. 이들은 첨단 기술과 혁신적인 아이디어를 결합하여 새로운 중계모델 플랫폼을 개발했다. 이 플랫폼은 다양한 산업과 시장에서 중계모델로 활용되며, 그들의 사업은 성공했다.

이 사업은 탄소 배출권 중계모델이었다. 이는 기업에서 발생하는 탄소 배출량을 줄이기 위한 혁신적인 방법으로, 배출량을 줄이고자 하는 기업이 탄소 배출권이 있어야 하는 기업에 중계함으로써 중개수수료 등 다양한 이익을 창출할 수 있었다.

이런 혁신적인 아이디어를 더욱 발전시키기 위해서는 더 큰 자금이 필요했다. 그들은 VC 투자를 통해 해결하기로 했다. VC 투자는 비즈니스 모델을 발전시키기 위한 중요한 자금원이었다. VC(벤처캐피털) 투자는 초기 단계의 기업이나 새로운 비즈니스 모델을 발전시키기 위해 자금을 제공하는 투자 방식이다. 탄소 배출권 중계모델을 시작하는 기업이 자금을 충분히 확보하기 위해서는 VC 투자를 활용할 수 있다. 유대인 멘토로부터 받은 조언과 투자 지원을 토대로, 그들은 인재들을 더 많이 채용하여, 회사를 이끌어나갔다. 그의 리더십 아래, 회사는 새로운 시장을 개척하며 고객들에게 혁신적인 서비스를 제공했다.

마침내 급격한 매출 증가를 이뤄냈다. 영환이는 CEO로 추대되어, 지속적인 기업의 성장과 발전을 이끄는 데 큰 역할을 했다. 회사의 가치는 급격히 상승하며, IPO까지 이르게 되었다. 이후, 새로운 투자와 자금을 토대로, 글로벌 시장으로의 진출과 기술 개발에 주력하게 되었다.

3-1 지하 제국 건설

기업이 압도적으로 성장하자, 영환과 일호는 원자재 및 에너지 산업과 관련 깊은 카르텔 사업가들을 만나게 된다. 그리고 이들은 그들과의 회의로 새로운 사업 기회 및 협력 방안을 찾았다.

영환: 일호, 이번에는 어떻게 할까? 카르텔 사업가들과 만남이 우리에게 더 큰 기회를 제공할 수도 있을 거야.

일호: 영환, 그들과 만남이 정말 그런 기회를 가져다줄 거로 생각해? 우리가 그들과 어떤 협력을 할 수 있을까?

영환: 일호. 우리가 이미 구축된 네트워크를 통해 탄소 배출권 중계모델뿐만 아니라 원자재도 중계할 수 있어.

일호: 그럴 수도 있겠지. 하지만 우리가 그들과의 관계를 어디까지 끌어올려야 할지 고민이야. 우리 안전도 생각해야 해.

영환: 맞아. 하지만 카르텔과의 협력을 통해 새로운 사업 기회를 엿볼 수 있고, 글로벌 기업으로 성장하는 전환점이 될 거야."

일호: 알겠어. 그럼 우리는 카르텔과의 관계를 조심스럽게 다루면서도, 너의 계획을 실현하는 데에 초점을 맞춰보자.

이들의 만남은 새로운 사업 기회를 찾는 데에 큰 도움이 되었고, 협력을 통해 중계모델 사업이 더욱 성장할 수 있는 발판이 되었다. 그는 어둠의 세력인 카르텔과 접촉하며, 여러 가지 중계모델 사업에도 뛰어든다. 카르텔은 중국의 흑사회뿐만 아니라 여러 나라의 정치권과도 연결된 강력한 세력이었다. 영환은 이를 통해 국제적인 힘도 얻고자 했다.

그는 어둠 속에서 조용히 단호하게 발걸음을 내디뎠다. 석유, 곡물, 광물 등 주요 원자재를 중계하는 방법을 철저히 연구했다. 정보를 얻기 위해 어둠 속 인물들과 꾸준히 접촉했고, 그들의 신뢰를 얻기 위해 자신의 모든 지식을 활용했다. 어느덧 중계업의 중심에 서게 되었다.

당시, 그는 네 가지를 중요하게 생각했다.

정보력, 로비, 친화력, 대담함. 이 네 가지는 중계업자가 성공하기 위한 필수 요소였다. 영환은 탄소배출권 사업을 진행하면서 이것들을 완벽하게 갖추고 있었다. 그리고 글로벌 불균형을 초래한 중동 나라들의 석유 국유화와 글로벌 무역이 시작된 시점에 맞물려 원자재 중계무역을 시작했다. 그리하여 더 많은 권력을 쥘 수 있었다.

러시아의 원자재 수출 경기, 중국의 급부상 속 원자재 수요 현상, 제3세계의 곡식과 석유중계를 바탕으로 그는 자신의 영향력을 확장했다. 그리고 미국에서 중립국인 스위스로 본사를 이전하고, 거대한 중계 네트워크를 구축했다.

그가 이렇게 성공할 수 있었던 이유는 네 가지 이외에도 중개와 중계모델의 차이를 깊이 이해하고 있었다. 단순한 중개 수수료 차익을 넘어, 유통구조를 장악하기 위해 전략적으로 움직였다. A와 C를 이어주는 중개인이 아니라, A와 B, B와 C를 잇는 중계업자로서의 위치를 확고히 했다. 그는 A의 물량을 사들여, 세계 점유율을 조금씩 차지하고, 가격 덤핑과 펌핑을 통해 어마어마한 이익을 챙겼다.

이들에게 세계 경제 위기는 항상 기회였다.

세계 곳곳에서 벌어지는 전쟁, 금수 조치, OPEC 감산, 기아 현상 등 모든 세계 경제 위기를 그의 이익으로 전환하는 탁월한 중계업자였다. 비즈니스 모델은 단순하지만 강력했다. 위기가 발생할 때마다 가격의 불공정 거래를 통해 막대한 수익을 올렸다. 대한민국이 핵 개발 명분으로 미국과 등을 지며 경제 제재를 받을 때, 석유를 비싼 가격에 팔아 엄청난 차익을 거둔 적도 있었다. 이러한 사이클은 주기적으로 발생했으며, 이들은 항상 이점을 노렸다.

원자재 트레이딩 방법도 놀라울 만큼 간단했다. 세계 경제가 탄탄할 때는 틈틈이 사들이고, 가격이 바닥일 때 대량 매수했다. 예를 들어, 미국이 셰일 혁명으로 세계 1등 산유국으로 자리 잡았을 때, 유가는 한동안 바닥을 쳤다. 이 시기에 중계업자들은 대량 매수를 통해 물량을 크게 확보했다. 이후 중동에서 감산 또는 전쟁이 발생해 유가가 급등하면, 이들은 대량 매도를 통해 엄청난 차익을 거두었다.

영환과 그의 팀은 세계 석유 공급량의 25%를 장악했다. 세계 주요 곡물 7가지의 공급량도 50%를 차지했다. 전기차의 필수 원자재인 코발트는 세계 공급량의 33%를 차지하며, 이들의 통제하에 있었다. 또한, 곡물과 유가 결정 방식의 변화, 특히 선물과 옵션 시장의 탄생을 통해 이익을 더욱 확대했다. 과거 물물교환과 현물시장에서 놀던 그들은 이제 선물 시장으로 진출했다. 현물에서 가격을 고정하면, 선물 시장에서 차익을 내기 쉬웠다. 이런 전략을 통해 그는 경제적으로 세계의 지배력을 선보였다.

세계 경제가 흔들릴 때마다, 언제나 그 중심에 서 있었다. 그가 매수한 원자재는 단순한 물질이 아니라, 세계 경제의 생명줄이었다. 그의 결정 하나하나가 세계 경제를 뒤흔들었고, 이를 통해 그는 비공식적으로 세계 부자 랭킹 1위에 올랐다. 그리고 정치인들과의 관계도 놓치지 않았다. 각 나라의 정치인들은 경제 제재나 위기로 나라가 망하는 것보다 중계업체에 손을 내밀 수밖에 없었다. 영환은 이러한 상황을 완벽하게 이용하며, 영향력을 극대화했다.

그는 세계 원자재 공급의 핵심을 쥐고 흔들며, 점점 더 큰 권력을 쌓아갔다. 이러한 압도적인 점유율과 경제적 지배력은 그의 부를 넘어 권력을 상징했다. 각국의 정치인들과 경제 지도자들은 그에게 의존할 수밖에 없었다. 그가 쥐락펴락하는 원자재 시장은 전 세계의 정치적 균형까지도 좌우했다. 이는 세계 무대에서 그가 어떤 존재였는지를 보여주었다. 그리고 그는, 대한민국 내 여러 조직을 몰래 잠입시켜 사업으로 위장한다. 이들은 자영업과 사업의 형태를 이루고 있지만, 대한민국 사회 구조 속에서 어둠으로써 자리 잡았다. 또한, 그들은 많은 돈을 들여 정치권과 검찰, 경찰의 수뇌부를 매수하여 권력을 쥐고자 했다.

그의 지하제국은 숨겨진 세계 속에서 조용히 성장하며, 사회의 어두운 면을 장악했다. 그리고 지하제국을 더욱 성장시키기 위해 다음과 같은 다양한 창의적인 전략이 동원됐다.

비밀리에 확장된 사업 영역: 불법적인 수단으로 금융, 부동산, 무기 및 마약 거래와 같은 다른 범죄적 활동에 참여했다. 이로써 그의 지하제국은 비밀리에 성장하고 영토를 넓혀갔다.

과학기술의 악용: 그는 최신 기술을 악용하여 자신의 지하제국을 강화했다. 암호화폐와 블록체인 기술을 활용하여 자금을 세탁하고, 인터넷을 통해 비밀스러운 거래와 정보 교환을 진행했다. 또한, 사이버 해킹을 통해 경쟁자들을 제압하고 정보를 훔치는 등의 방법을 사용하여 자신의 영토를 확보했다.

비밀리에 활동하는 조직 구조: 지하제국의 조직 구조를 매우 비밀스럽게 운영했다. 그는 신변 보호를 위해 다양한 가명을 사용하고, 지하의 다양한 터널과 은신처를 이용하여 추적을 피했다. 또, 조직 내부의 강력한 통제 체계를 구축하여 비밀 유지를 위해 노력했다.

정치와 법 집행기관의 뇌물: 자신의 권력을 확고히 하기 위해 정치인들과 법 집행기관의 수뇌부에게 뇌물을 주었다. 이로써 그는 정치와 경제의 핵심 영역을 조종하고, 자신의 지하제국을 보호하고 건설할 수 있었다. 이처럼 창의적이고 비정상적인 방법으로 대한민국 어둠 속에서 힘을 더해 나갔다. 전 세계가 그의 손안에서 움직였고, 그가 원하는 방향으로 흘러갔다. 세계 경제의 숨겨진 지배자였다. 그는 꿈속에서 그녀를 찾아가 조용히 말했다.

″너는 나에게서 모든 것을 빼앗았지만, 나는 세상을 손에 넣었다. 이제 우리의 이야기는 시작될 거야.“

3-2 영향력 확장

그는 카르텔과 만남을 통해 영향력을 확장했지만, 이것만으로 충분하지 않았다. 그의 머릿속은 더 깊고 어두운 생각들로 가득 차 있었다. 사업으로 막대한 자금을 손에 쥐게 된 그는 이제 그 돈을 어떻게 사용할지 고민했다. 그는 세계의 모든 나라를 쥐락펴락할 더 큰 힘을 원했다.

(영환의 내면의 목소리): 어떻게 하면 더 강력한 권력과 영향력을 확보할 수 있을까? 그녀에게 복수하기 위해서는 더 강력한 무기가 필요하다.

영환이는 책상 위에 펼쳐진 서류와 보고서를 바라보았다. 그리고 스위스 계좌를 열어 사업으로 번 돈을 확인했다. 돈만으로는 세계를 모두 장악할 수 없었다. 과거의 위대한 권력자들이 힘을 가졌던 원리를 떠올렸다. 그들은 모두 자신들만의 무기를 가지고 있었다.

그는 책상 옆 선반에 꽂혀 있는 두꺼운 책을 꺼냈다. 제목은 '핵무기의 역사'였다. 책을 펼치고, 20세기 중반에 있었던 사건들을 읽기 시작했다. 과학자들이 핵무기를 개발하고, 그것이 국가의 힘의 논리를 결정했던 시절이었다. 그는 그때의 상황을 떠올리며, 자신의 목표를 달성하기 위해서는 비슷한 무언가가 필요하다고 생각했다.

"핵무기처럼 절대적인 힘을 가질 수 있는 무언가…." 중얼거리며, 한 페이지를 넘겼다. 그 순간, 그의 머릿속에 하나의 생각이 떠올랐다. 단순히 군사적인 무기가 아니라, 사람들의 삶을 완전히 바꿔놓을 수 있는 기술. 그 기술로 그는 모든 국가를 장악할 수 있을 것 같았다.

"핵무기가 힘의 논리를 결정했다면, 다음 세대의 힘은 무엇이 될까?" 그는 속으로 물었다. "어떤 기술이 모든 나라의 권력을 내 손에 쥐게 할 수 있을까?"

영환: (자신의 노트북을 열고 연구를 시작한다) 물리학자들과의 연결이라면 어떨까? 그들은 천재적인 두뇌를 가지고 있고, 그들의

능력을 이용해 더욱 강력한 영향력을 확보할 수 있을 거야.

“양자역학의 비밀…. 차원문….” 그는 실마리를 잡기 시작했다. “그렇다, 차원 문이다.” 자리에서 벌떡 일어났다. 차원 문을 이용한 기술이야말로 모든 것을 바꿀 수 있는 열쇠였다. 그 기술이 완성된다면, 어떤 국가도, 어떤 권력자도 두려워할 필요가 없었다.

“핵무기가 힘의 논리를 결정했듯이, 이제는 내가 개발하는 기술이 그 자리를 대신할 것이다.”

그는 세계 구조를 이해하고, 그 구조를 바꿀 수 있는 능력을 원했다. 그 첫걸음은 양자역학이었다. 그는 과학과 기술에 대한 깊은 열정을 가지고 있었고, 이제 그 자금을 이용해 새로운 연결 고리인 천재적인 두뇌들을 찾기 시작했다. 몇몇 명성 높은 물리학자들과 연락을 취했다. 그리고 미국 CIA와 FBI의 눈을 피해 비밀 연구소를 설립하기로 했다.

뉴욕의 한 고급 호텔 스위트룸, 그곳은 그의 은밀한 회합 장소였다. 스위트룸의 창문 너머로 맨해튼의 화려한 야경이 펼쳐져 있었지만, 그의 눈은 오직 테이블 위에 놓인 문서들에 집중하고 있었다. 그는 다양한 명문 대학 출신의 물리학자들과 각 분야의 최고 과학자들과 비밀리에 접촉해왔고, 드디어 그들과 대면하는 날이었다.

"안녕하세요, 여러분." 영환이는 100층 스위트룸 테이블에 둘러앉은 네 명의 물리학자들에게 인사를 건넸다. "여러분을 이렇게 한 자리에 모시게 되어 기쁩니다."

각자 자기소개를 마친 과학자들은 서로 눈인사를 나누며 영환이를 바라보았다. "저희가 왜 여기 모였는지 정확히 알고 싶습니다," 한 물리학자가 입을 열었다. 그는 잠시 눈을 감고 숨을 고른 뒤, 차분하게 설명하기 시작했다. "저는 여러분의 연구 업적과 능력을 신뢰하고 있습니다. 그래서 이 비밀 프로젝트에 여러분을 초대하게 되었습니다. 우리가 함께 개발할 기술은 차원문입니다. 이 기술은 단순한 순간이동 수단이 아니라, 인류의 미래를 바꿀 혁명적인 도약이 될 것입니다."

그들의 얼굴에는 놀라움과 흥분이 교차했다. 그는 그들의 반응을 살피며 말을 이어갔다. "하지만, 이 프로젝트는 극비리에 진행되어야 합니다. 정부 기관의 감시를 피하고자 우리는 이를 사업으로 위장할 것입니다. 여러분은 겉으로는 합법적인 연구소의 연구원으로 활동하시게 될 것입니다."

그는 테이블 위에 놓인 문서를 가리켰다. "여기에 우리 연구소의 초기 설계도와 예산 계획이 있습니다. 모든 자금은 철저히 추적 불가능하게 조달될 것입니다."

한 과학자가 손을 들어 질문했다. "그렇다면, 우리의 연구는 어디서 진행됩니까?"

"미국 중서부의 한 외딴 지역에 연구소를 설립할 계획입니다," 영환이가 답했다. "그곳은 접근이 어려워 보안 유지에 최적입니다. 이미 현지 부동산과의 협상을 통해 부지를 확보했습니다."

회의가 끝나고, 과학자들은 각자의 호텔 방으로 돌아갔다.

며칠 후, 그는 현지 부동산 담당자와 비밀리에 만났다. 이곳은 사막의 황량함 속에 숨겨져 누구든 접근이 어려웠다. 연구소의 외관은 의도적으로 평범하게 설계되어, 멀리서 보면 단순한 창고처럼 보였다. 하지만 가까이서 보면 그 평범함 속에 숨겨진 치밀함이 엿보였다.

연구소의 외벽은 거친 회색 콘크리트로 마감되어 있었다. 곳곳에 벗겨진 페인트 자국과 낡은 흔적이 있어 구시대 건물처럼 보였다.

건물 주변에는 잡초와 작은 바위들이 어지럽게 널려 있어, 오랫동안 방치된 것처럼 보였다. 연구소의 입구 옆에는 작은 간판 하나가 세워져 있었다. "사막 물류 창고"라는 허술한 명칭이 적혀 있었다. 연구소의 큰 철제문은 무겁고 녹슬었지만, 최첨단 보안 시스템이 내장되어 있어 쉽게 열리지 않았다. 그리고 두꺼운 방탄유리로 만든 창문은 작고 높아서 내부를 볼 수 없도록 설계되었다. 연구소로 이어지는 좁은 길은 자주 사용되지 않는 듯한 흔적이 있었고, 곳곳에 쌓인 모래가 바람에 날리며 길을 덮고 있었다. 철제문을 열고 들어가면, 최첨단 기술로 무장한 보안 게이트와 정교한 내부 구조가 나타났다. 이곳은 겉보기와는 달리, 철저히 관리되고 있는 비밀 연구소였다.

연구소 내부는 고도의 보안 장비와 최신 연구 장비들로 즐비했다. 복도를 따라 이어진 여러 개의 실험실과 연구실, 회의실은 각각 특수한 목적을 위해 설계되었고, 벽에는 음성 인식 시스템과 얼굴 인식 시스템이 설치되어 있어, 허가받은 사람만이 접근할 수 있었다. 외관은 단순한 창고처럼 보였지만, 그 안은 최첨단 과학기술의 중심지였다. 이 비밀 연구소는 세계의 눈을 피한 채, 철저한 보안 시스템을 구축하고, 모든 통신을 암호화했다.

완공된 실험실은 하얀 벽과 은색의 기계들로 가득 차 있었다. 연구원들은 흰 가운을 입고, 복잡한 기계들을 조작하며 데이터를 분석했다. 차원문 연구가 진행되면서, 그와 과학자들은 신중했다. 그들은 각자의 실험실에서 몰래 데이터를 교환하며 연구를 이어갔다. 아무도 그들의 진정한 목적을 알지 못했다. 그는 매일 연구소를 찾아와 연구 진척 상황을 직접 점검했다. 그의 눈빛은 날카로워 연구원들에게 엄청난 압박을 주었다.

미국의 비밀 연구소

그중에는 양자역학의 대가로 불리는 리차드 박사도 있었다. 닥터 리차드는 영환의 비전을 이해하고, 새로운 차원의 물리학을 탐구했다.

"영환, 당신의 목표는 무엇입니까?" 리차드 박사가 물었다.

"순간이동과 차원 이동을 가능하게 만드는 거죠. 이를 통해 새로운 세계를 구축할 겁니다." 영환은 냉혹한 눈빛으로 말했다.

연구팀은 양자역학의 핵심 원리를 연구하기 시작했다. 양자 중첩과 양자 얽힘을 이용하여 새로운 차원문을 개발하려는 시도였다. 이론적으로는 가능해 보였지만, 실제 구현하는 일은 매우 어려웠다.

"양자 중첩은 0과 1이 동시에 존재하는 상태를 의미합니다. 이 상태를 이용하여 물질을 다른 차원으로 이동시킬 수 있을 것입니다." 리차드 박사가 설명했다.

"그렇다면 양자 얽힘은 어떻게 활용할 수 있을까요?" 영환이 물었다.

"양자 얽힘을 이용하면, 두 개체 간의 상호 연결을 통해 정보를 즉시 전달할 수 있습니다. 이를 통해 우리가 원하는 위치로 물질을 이동시킬 수 있을 것입니다." 리차드 박사는 답했다.

영환은 물리학자들과 함께 양자역학의 신비한 세계에 접어들었다. 그들은 미시세계에서 거시세계로 향하는 실험을 하고, 혁신적인 발견을 앞두고 있었다.

그의 팀은 첫 번째 실험을 시작했다. 작은 입자를 이용하여 양자 중첩과 얽힘을 테스트했다. 실험은 매우 복잡했고, 많은 실패를 겪었다.

"실패는 성공의 어머니입니다. 우리는 계속 시도해야 합니다." 영환은 팀을 독려했다.

그가 물리학자들과 함께 미시세계의 양자역학을 연구하던 중, 거시세계에서의 순간이동을 가능하게 하는 차원문의 존재를 발견한다. 이는 그들에게 놀라운 기회를 보여주며, 그의 마음을 더욱 혼란스럽게 만들었다.

물리학자: 우리의 연구가 잘 진행되고 있어서 기쁩니다.

영환: (잠시 생각에 잠겨) 우리가 혁신적인 발견을 이루고 있다는 것이 놀라워요. 하지만…. (주저하는 듯한 표정)

물리학자: 무엇인가요?

영환: 거시세계로 차원문을 만들어 순간이동하는 것은 놀라운 일이지만, 그로 인해 어떤 결과가 발생할지 고민이 돼요. 내가 지나온 길은 복잡하고 어두운데, 세상을 바꾸는 것이 옳은 일일까요?

물리학자: (고개를 끄덕이며) 세상을 바꾸는 것은 결코 쉬운 일이 아니에요. 하지만 우리는 과학의 발전을 위해 모든 가능성을 탐구해야 합니다.

영환: (내면에서 심상치 않은 느낌을 느끼며) 네, 그렇지요…. 모든 가능성을 탐구해봐야겠어요.

영환: (자신의 노트북 앞에서 생각에 잠기며) 순간이동을 통해 시간을 왜곡해 과거로 돌아간다면…. 그곳에서 그녀와의 행복한 순간을 다시 떠올려 볼 수 있겠지. 하지만 그렇게 되면, 이 준비된 복수 계획을 멈춰야 할까.

물리학자2: (들어온 물리학자가 영환의 고민을 느끼고) 영환, 무슨 일이야? 너무 많이 생각하고 있어 보이는데.

마침내, 그들은 첫 번째 성공을 거뒀다. 입자가 한 장소에서 다른 장소로 순간이동 하는 데 성공한 것이었다. 팀은 환호성을 질렀다.

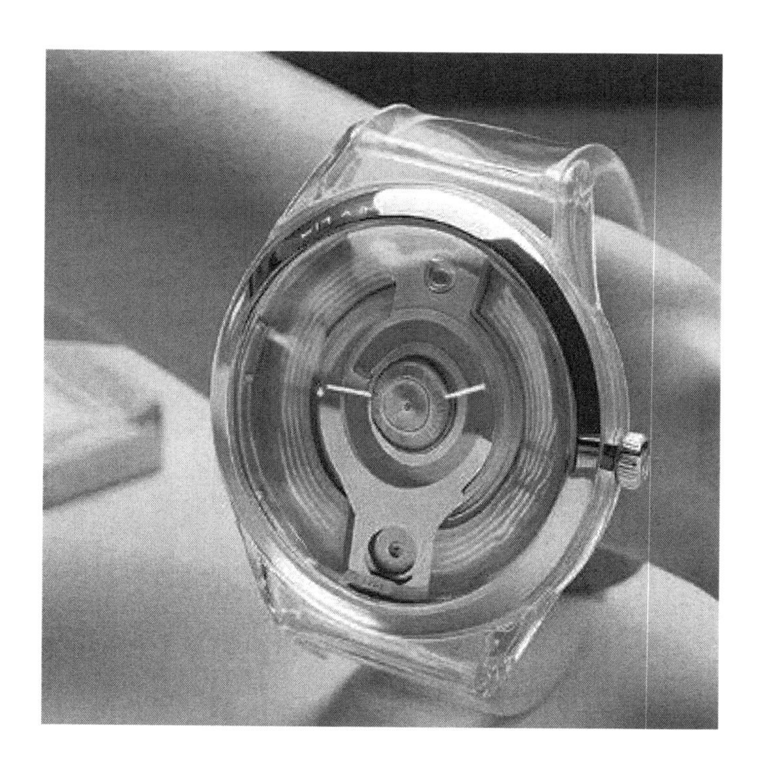

차원문

순간이동 차원문을 여는 시계는 금속으로 만들어진 것처럼 보이지만, 그 표면은 부드럽고 유리한 느낌을 준다. 시계의 형태는 타원형으로, 끝없는 차원을 연상시킨다. 그리고 눈이 머무는 곳에 따라 색이 변화하는 다채로운 빛을 내뿜는다. 유동적인 액체로 만들어졌으며, 그 윤곽은 부드럽고 우아하게 흘러가는 것 같다. 표면을 만지면 손가락 사이로 스르륵 액체가 스며들어오며, 그 순간 차원의 흐름을 느낄 수 있다. 시계를 가볍게 톡톡 두드리면 부드러운 울림을 전달하며, 마치 차원을 넘나드는 소리를 듣는 듯한 기분을 준다.

영환이는 손목에 찬 디바이스를 가볍게 터치했다. 기기가 반응하며 낮고 부드러운 윙윙거림과 함께 활성화되었다. 그 순간, 시계에서 눈이 부신 빛이 쏟아져 나왔다. 빛은 처음에는 작은 구슬처럼 시작되었지만, 점점 커져 방 전체를 감싸기 시작했다. 그 빛은 무지갯빛으로 물결치며, 마치 오로라가 춤추는 듯한 모습이었다. 빛 속에는 형형색색의 입자들이 부유하며 반짝였고, 주변의 모든 사물이 그 빛에 의해 신비롭고 영롱하게 변했다. 빛의 중심은 점점 더 강렬해졌고, 그 안에서 은은한 파동이 퍼져나갔다.

그는 그 커다란 빛의 중심으로 발을 내디뎠다. 그의 주변은 점점 더 눈 부신 빛으로 가득 차올랐다. 그는 시계를 한 번 더 터치하며 목표 지점을 설정했다. 양자 얽힘의 원리가 작동하며, 빛의 파동 속에서 공간과 시간이 뒤엉키기 시작했다. 그 순간, 빛의 파동이 급격히 수축하며 하나의 점으로 모였다. 그는 그 점 안으로 빨려 들어가듯이 사라졌다. 그의 시야는 일순간 밝은 빛으로 가득 찼고, 이내 목표한 장소로 순식간에 이동했다.

그는 남편과 딸 옆에서 잠자고 있는 라감이를 찾아갔다. 그녀는 영환이가 어떻게 여기에 있는지 이해할 수 없었다.

"라감, 내가 누군지 잊지 않았겠지? 이제 내가 세계의 중심에 섰어. 너에게 복수할 시간이 왔어." 영환은 그녀의 방에 가서 코를 골며 잠자는 그녀에게 속삭였다.

라감은 눈을 비비며 잠에서 깨고, 공포에 질려 뒤로 물러섰다. "영환? 이건 꿈이지?? 우리가 했던 일은 다 지나간 일이야!"

그녀가 잠에서 깨자, 그는 곧바로 연구소로 귀환했다.

물리학자: 영환, 너를 찾았어.

영환: (물리학자에게 조용히 속삭임) 나에게 필요한 일이 있어. 네가 할 수 있을 거야.

영환: 나에게는 시계를 장착한 사람뿐만 아니라, 다른 사람도 같이 이동할 수 있는 완벽한 시계가 필요해. 너 같이 뛰어난 두뇌가 같이 있다면 시계를 보완하고 완성하는 데 도움이 될 거야.

물리학자: (미소를 지으며) 그럼 어떻게 시작해볼까?

(영환과 물리학자가 서로 계획을 짜고 실행하기 시작한다)

그는 그녀에 대한 복수의 계획을 더욱 심도 있게 그리기 위해 불완전한 시계를 완벽한 시계로 만드는 연구를 시작한다.

물리학자: 모든 선택은 그에 따른 결과와 함께 오지. 하지만 우리는 두려움보다는 가능성을 추구해야만 해. 당신이 선택한 길에는 더 큰 의미가 있을지도 모르지.

영환: (심술궂은 미소를 짓고) 아마도 그렇겠지. 나는 내 선택이 옳다고 믿어야겠어.

3-3 권력의 그물

영환은 불완전한 시계를 개발한 뒤, 그 발명품이 세상에 알려지지 않도록 신중하게 조처했다.

영환: "여기서 일어나는 것들은 세상에 알려지면 안 돼. 모든 것은 우리의 비밀로 유지돼야 해."

물리학자: "이해했어, 영환. 우리는 이 발명품을 조심스럽게 다루어야만 해."

영환: '그렇지. 이것은 우리가 단지 힘을 얻는 것이 아니라, 나에게는 그녀에게 복수하기 위한 강력한 도구가 될 거야.' 그리고 그는 그녀에게 복수하기 전까지의 충분한 시간을 확보하기로 했다. 이 시간 동안, 그는 권력의 그물 안에서 미국, 중국 등 각 지도자를 만난다.

(도서관에서)

그는 지구상의 국가들이 형성한 복잡한 윤리와 이해관계를 파헤치며, 미래를 예측했다. 전 세계를 강타하고 있는 여러 긴장감에 대해 심도 있게 분석했다. 그는 남들이 알아차리지 못하는 잠재적 위험을 느꼈다. 중국의 부상, 러시아와의 긴장, 중동의 불안한 정세. 이 모든 것이 어디로 향하고 있는지 궁금했다.

어느 날, 그는 도서관에서 '예정된 전쟁'이라는 책을 발견했다. 이 책은 미래의 전쟁에 대한 예측과 분석을 담아냈다. 그는 책을 펼치며 긴장되는 마음으로 페이지를 넘겼다. 책에는 중국의 성장과 미국의 불안이 잘 표현되어 있었다. 중국이 경제적으로 성장하면서 세계의 제조업을 주도하는 위치에 올랐고, 미국은 그 성장에 대한 불안을 느끼고 있었다. 그리고 예측된 16가지 위기 중에는 미·중 간의 충돌이 가장 두드러졌다. 책을 읽으면서 자신의 가치관과 이 책의 내용이 어우러져 가는 것을 느꼈다.

그물 안에서

그는 권력의 그물 안에서 자신의 영향력을 확장하기 위해 미국, 중국 등 각 나라의 권력과 결속하기를 원했다. 과학뿐만 아니라 경제, 정치, 군사 등 다양한 분야에서의 네트워크를 원했다.

세계 정치의 주요 인물들과의 회의를 위해 국제 회의장에 발을 들여놓았다. 그의 목표는 개인적 복수를 위해 각국의 지도자들을 협박하여 동조를 구하는 것이었다. 각국의 지도자들이 모인 회의실은 거대한 스크린으로 가득 찬 벽과 긴 회의 테이블로 둘러싸여 있었다. 각 나라의 정치인들은 서로를 의식하며 눈치를 보고 있었다. 회의실 중앙에는 영환이가 서 있었다. 그는 자신감 넘치는 표정으로 프레젠테이션을 이어갔다.

"각국의 지도자 여러분, 지금까지 여러분의 경제는 저희 원자재 중개업체에 크게 의존해왔습니다. 러시아, 아프리카 군벌들, 북한, 그리고 중동 국가들까지, 모두가 저희의 원자재 무역에 손을 내밀고 있습니다."

그의 목소리는 차분하면서도 강렬하게 울려 퍼졌다. 스크린에는 각 나라의 원자재 의존도를 나타내는 그래프와 도표가 빼곡히 채워져 있었다. 그 그래프들은 각국 지도자들의 시선을 사로잡았다.

"여기서 보시다시피," 영환은 손짓으로 그래프를 가리키며 말했다, "현재 여러분의 경제가 얼마나 저희에게 의존하고 있는지 명백합니다. 최악의 상황으로 석유 또는 반도체 원자재 금수 조치가 생긴다면, 여러분의 나라는 심각한 위기에 처할 것입니다."

한숨 소리가 회의실을 가로질렀다. 지도자들은 서로의 얼굴을 살폈다. 그들 중 일부는 이미 이 사실을 알고 있었지만, 이렇게 명확하게 수치로 나타내어 보니 그 심각성이 더 크게 다가왔다.

"그러므로," 영환은 계속했다, "저희와 손잡지 않으려면, 외교 전선에서 굉장히 중요한 결단을 내려야 할 것입니다. 하지만 지금 상황에서 여러분에게 그 선택지가 있는지 의문입니다."

몇몇 지도자들이 불편한 듯 몸을 비틀었다. 그들은 자국의 경제와 안정이 걸린 문제 앞에서 냉정하게 판단해야 했다. 어떤 이는 고개를 끄덕였다.

"나라가 아닌 소수 독점 민간 기업이 원자재를 중계하고 유통하고 있었다는 사실을 이제 여러분도 알게 되셨습니다." 영환은 말을 이어갔다. "이미 저희가 손에 쥐고 있는 점유율은 너무나도 높습니다. 저희가 비공식적으로 세계에서 가장 부유한 존재가 된 이유도 여기에 있습니다."

그는 잠시 말을 멈추고 지도자들의 반응을 살폈다. 각국의 지도자들은 영환의 말을 들으며, 다시는 독립적으로 경제를 운영할 수 없다는 사실을 받아들여야 했다.

"결국," 영환이 미소 지으며 마지막으로 덧붙였다, "저희와 협력하는 것이 여러분의 국가와 국민을 위한 최고의 선택일 것입니다."

회의실은 잠시 침묵에 잠겼다. 각국의 지도자들은 속으로 고뇌하며, 그들 중 일부는 이 부도덕한 중개업체와 손을 잡는 것 외에는 다른 선택지가 없음을 인정했다. 그의 자신감 넘치는 미소는 그들이 이미 그의 손안에서 놀아나고 있다는 사실을 더욱 명확하게 드러냈다.

"여러분, 이번 회의의 목적은 매우 중요합니다. 저는 과거의 모든 모욕을 갚겠다는 지극히 개인적인 복수를 다짐하고 있습니다." 그는 회의장에 앉은 정치 지도자들에게 말했다.

영환: "저는 당신들의 도움이 필요합니다. 그녀에게 복수하기 위해 전략적으로 행동해야만 합니다. 제가 제안하는 계획에 참여해주시겠습니까?"

미국 대통령: "당신의 계획은 매우 흥미로워 보입니다. 우리는 당신과 협력하겠습니다."

중국 지도자: "우리는 당신의 계획을 지지합니다. 우리나라가 사소한 복수로 손해를 끼치게 놔두면 안 됩니다."

영환은 주변 정치 지도자들의 반응을 주의 깊게 살펴보았다. 그리고 그의 계획에 대한 이해와 동의를 표명하는 사람들도 있었다.

미국이 왜 그의 납치를 도우려고 하는지는 그가 가진 정보와 통찰력 때문이었다. 그는 중국의 부상과 미국의 불안에 대해 깊이 있는 분석을 제공할 수 있었다. 이는 미국이 중요한 정보와 영향력을 가진 인물을 보호하고자 하는 의지의 표현이었다. 미국은 그가 가진 정보를 활용하여 미래에 대한 불확실성을 줄이고 안전을 보장하기 위해 그의 의견을 따랐다.

중국의 이해관계도 마찬가지였다.

중국 국무원 회의실은 긴장과 기밀에 휩싸였다. 중국의 국가 안보를 책임지는 각 부처의 대표들이 모여 앉아 있었다. 중국의 부상을 위협하는 요소들에 대한 논의가 시작되었다. 그중 한 명이 말했다.

"영환과 관련된 보고서를 살펴보았습니다. 그가 가진 정보는 우리에게 큰 위협입니다. 미국은 그를 보호하고자 할 것이며, 그의 정보를 활용하여 중국의 부상을 제한하려 할 것입니다."

다른 대표가 말했다. "그렇다면 우리는 어떻게 해야 할까요?"

중국 국무원의 수석이 말했다. "우리는 그를 통제해야 합니다. 미국이 그를 찾지 못하도록 막아야 합니다. 그의 정보가 미국에 넘어가지 않도록 해야 합니다."

"그러면 어떻게 하면 될까요?" 묻는 소리가 나왔다.

"우리도 우선 그를 도와야 합니다. 미국이 우리에게 압력을 가하기 전에 우리가 먼저 움직여야 합니다. 그를 뒤에 배신하더라도 일단 도와주고, 국익을 위해 이용해야 합니다." 중국의 국가 안보를 위해 그의 정보를 활용하는 것이 가장 필요한 조치라고 판단했다.

중국과 미국 이외의 다른 나라의 대표들도 영환이의 계획에 동조했다. 그는 예정된 전쟁의 잠재력을 분석하고, 각 나라의 이해관계를 깊이 파고들었다.

각국 정상들이 모인 회의장에서 대한민국의 자리는 보이지 않았다. 세계의 주요 지도자들은 중요한 논의를 위해 둥그런 테이블에 둘러앉았지만, 그들의 대화 속에 한국은 없었다.

이는 그가 구축한 거대한 네트워크 덕분이었다. 철저히 대한민국을 스스로 통제할 수 있다는 자신감에서 비롯된 행동이었다. 그는 국제 사회에 파문을 일으키지 않을 정도로만 작전을 계획했다.

이 모든 것은 힘의 논리였다. 그는 대한민국의 힘이 국제무대에서 얼마나 미미한지를 보여줬다. 한국은 이 거대한 권력의 눈치 싸움 속에서 그저 작은 퍼즐 조각에 불과했다. 이 회의에 초대받지 못한 것은 단순한 우연이 아니었다. 그것은 철저히 계산된 결과였고, 그 안에 담긴 메시지는 명확했다. 세계는 여전히 강자들의 무대였고, 한국은 그 무대의 중심에 설 힘이 없다는 것을 증명하고 있었다.

권력자들의 속내

그의 복수는 이제 지극히 개인적인 것을 넘어, 세계 정치판을 뒤흔들 만큼 강력한 무기로 변하고 있었다. 이 힘을 생각할 때마다 그의 심장은 두근거렸고, 그 안에서 권력의 단맛을 느꼈다. 각국의 지도자들은 그의 복수가 자신들의 나라에 어떤 이득을 줄 수 있을지 계산하며, 추악한 속내를 드러냈다.

미국 대통령의 독백

미국 대통령은 차가운 눈빛으로 영환을 바라보며 속으로 생각했다. '영환의 복수를 돕는다면, 우리는 중국의 영향력을 약화할 수 있을 거야. 이 기회를 놓쳐선 안 돼. 미국의 패권을 유지하기 위해서라면, 어떤 수단도 마다하지 않을 거야.'

중국 주석의 독백

중국 주석은 미묘한 미소를 지으며 영환과 대화를 나누면서도 속으로는 다른 생각을 하고 있었다.
'우리 내부의 반대파 세력을 정리할 좋은 기회가 될지도 몰라. 하지만 그를 이용한 뒤에는 반드시 제거해야 한다. 중국의 안정을 위해서는 어떠한 위협도 용납할 수 없다. 결국, 모든 것은 나를 위한 쇼이니까.'

러시아 대통령의 독백

러시아 대통령은 담배 연기를 내뿜으며 영환을 관찰했다. '이 녀석의 복수를 돕는다는 건, 우리에게도 큰 기회가 될 수 있어. 특히, 국제 사회에서의 영향력을 강화하는 데 도움이 되겠지. 하지만 그와의 동맹은 단기적일 뿐, 결국 우리의 목표는 우리가 정한다.'

유럽 연합 의장의 독백

유럽 연합 의장은 영환과의 대화를 이어가면서 속으로는 냉정하게 계산하고 있었다. '영환의 복수를 지지한다면, 유럽은 새로운 경제 혁신의 중심에 설 수 있을 거야. 우리에게 큰 도움이 되겠지. 하지만 그가 통제 불가능한 존재가 되지 않도록 해야 해..'

일본 총리의 독백

일본 총리는 영환의 이야기를 들으며 고개를 끄덕였지만, 속으로는 다른 생각을 품고 있었다. '영환과의 협력으로 그의 자본을 이용한다면 우리도 다시금 아시아에서 주도권을 잡을 수 있겠지. 그러나 그와의 관계는 철저히 계산된 이익을 바탕으로 해야 해. 언제든지 버릴 준비를 해야 하니까.'

회담 후

각국의 지도자들과 만남을 마친 후, 영환은 회의실을 나서며 복잡한 감정을 느꼈다. 그는 자신이 단순히 개인적인 복수를 위해서가 아니라, 전 세계의 권력 구조를 뒤흔들 수 있는 위치에 서 있다는 것을 명확히 깨달았다. 그와 동시에, 지도자들의 추악한 속내를 목격하면서 세상의 냉혹함을 다시 한번 실감했다.

첫째, 정치 지도자들은 그녀의 납치를 돕는다면 자신들의 나라가 영광을 회복할 수 있다고 믿는다. 또한, 납치를 묵인함으로써 그에게 비도덕 및 국제법 위반이라는 약점을 심어 추후 언제든지 그를 제거하고, 자신들의 지위와 권력을 더욱 견고하게 만들고자 했다.

둘째, 중국 지도자들은 이번 기회를 통해 자신들의 이익을 증대시킬 수 있다고 믿는다. 그녀를 중국으로 납치한다면, 그에게서 많은 것을 얻을 수 있기에, 자신들의 목적을 이루고자 했다. 그리고, 그녀를 자국 내에 가둔다면, 그의 세력도 줄일 수 있다고 믿었다.

이처럼, 정치 지도자들이 그의 개인적 복수를 돕는 이유는 그에 대한 견제와 동시에 이익을 챙기기 위함이다. 물론 영환도 이를 모르진 않았다.

그는 세상이 유전 유죄, 무전 무죄 그리고 힘의 논리로 돌아간다는 것을 뼈저리게 알고 있다. 이제 그 힘을 더 강력하게, 더 효율적으로 사용하고자 했다. 그녀에게 힘과 권력을 똑똑히 보여주고 싶었다.

그는 세계 정치 무대 위에서 빛나는 별이 되었지만, 그 빛의 밑 그림자에는 타락이 숨을 쉬고 있었다. 점점 복수를 실행할 시간이 다가오고 있었다.

하루는 해가 지고 어둠이 깔린 도심을 내려다보며, 뉴욕 펜트하우스 창가에 서 있었다. 도시의 불빛들이 그의 마음을 더욱 불타오르게 했다. 그는 그동안 쌓아온 모든 권력과 자원을 동원할 준비를 마쳤다. 이제 단 한 걸음만 남았다.

창문을 활짝 열고, 바람에 실린 도시의 소음과 냄새를 깊이 들이마셨다. 그런 다음, 도시를 향해 크게 외쳤다. 목소리는 강하고 단호했다. "이제 내가 기다리고 기다렸던 때가 왔구나!"

그의 외침은 결의, 권력, 그리고 힘을 세상에 알리는 선언이었다. 이 순간, 그는 세상의 중심에 서 있었다. 외침은 도시의 거리와 빌딩을 타고 메아리쳤다. 뒤이어, 영환은 스스로 속삭였다. '이 모든 것이 단 하나의 목표를 위해 이루어지는 것이야.'

그는 모든 준비를 마치고, 실행으로 옮길 순간만을 기다렸다. 모든 것은 완벽하게 준비되었다. 이제 그가 할 일은 '단 하나.'

4

심연으로의 초대

라감은 영환의 공격을 받지 않자 안정을 찾았다. 그녀와 남편이 처음 만난 곳은 이탈리아의 작은 마을, 포지타노였다. 이 마을은 아름다운 해안선과 화려한 색채의 건물의 지붕들로 유명한 관광지였다. 그녀는 휴가차 방문한 길에, 바닷가를 따라 산책을 하던 중이었다. 그곳에서 키가 190cm로 크고, 금발의 푸른 눈을 가진 남자를 만났다. 그는 바로 프랑크였다.

프랑크는 30대 초반의 독일 남자로, 독일의 유명한 자동차 회사에서 엔지니어로 일했다. 그는 자기 일에 열정적이었으며, 여행하며 세상의 다양한 문화를 경험하는 것을 좋아했다. 포지타노 역시 그의 여행 리스트 중 하나였다.

그녀가 해변에서 사진을 찍고 있을 때, 프랑크는 그녀에게 다가와 말했다. "사진을 찍어드릴까요?" 그녀는 미소를 지으며 고개를 끄덕였고, 그 순간부터 둘의 인연이 시작됐다. 프랑크는 사진을 찍어준 뒤, 그녀에게 사진을 보여주며 자연스럽게 대화를 이어갔다.

그들은 포지타노의 좁은 골목길을 걸으며, 서로의 삶을 이야기하기 시작했다. 그녀는 서울에서 공기업 직원으로 일하며, 도시개발사업 업무에 매진하고 있다고 말했다. 프랑크는 그녀의 이야기에 깊은 관심을 보였고, 자신의 엔지니어로서의 경험을 이야기했다. 그들은 서로의 열정과 꿈에 공감하며 점점 더 가까워졌다. 그 후, 그녀와 프랑크는 서로의 연락처를 교환하고, 자주 연락을 주고받았다. 그들은 각자의 나라를 오가며 만남을 이어갔다. 프랑크는 독일의 아름다운 성들과 맥주 축제를, 라감이는 서울의 번화한 거리와 전통 시장을 소개했다. 서로의 문화와 생활 방식을 이해하며, 사랑을 키워나갔다.

프랑크는 라감이에게 청혼하기로 했다. 그는 포지타노에서 처음 만났던 바닷가에서 그녀에게 다시 한번 특별한 순간을 만들고 싶었다. 프랑크는 그녀를 포지타노로 초대했고, 둘은 다시 그 해변을 걸었다. 해가 지는 아름다운 풍경 속에서 프랑크는 무릎을 꿇고 반지를 꺼냈다. 그녀는 눈물을 흘리며 그의 청혼을 받아들였다. 그리고 서로를 껴안으며, 앞으로의 행복한 미래를 약속했다. 그들의 결혼식은 포지타노의 작은 교회에서 이루어졌고, 가족과 친구들이 함께 모여 그들의 사랑을 축복했다.

결혼 후, 그들은 서울에 자리 잡으며, 서로의 꿈을 지지하고 함께 성장해 나갔다. 그녀는 지금 순간이 가장 큰 행복임을 느끼며, 사랑스러운 딸을 낳고, 사랑과 신뢰로 가득 찬 가정을 꾸려나갔다. 일상 속에서의 작은 순간들이 행복으로 가득했다. 그날 아침, 라감이는 부엌에서 아침을 준비하며 딸의 웃음소리를 들었다.

"엄마, 오늘 학교에서 과학 프로젝트 발표가 있어요!" 딸 에바는 식탁에 앉아 들뜬 목소리로 말했다.

라감이는 미소 지으며 팬케이크를 뒤집었다. "정말? 그럼 열심히 준비했겠네. 무슨 주제야?" 에바는 자신만만하게 대답했다. "태양계! 우리 조가 행성 모형도 만들었어요. 선생님이 좋아할 거예요."

그때 남편 프랑크가 커피를 들고 들어왔다. "오늘 아침도 맛있게 냄새가 나네," 그는 라감이에게 다가와 이마에 가볍게 입을 맞추었다. "에바, 오늘 발표 잘 할 거야. 아빠가 믿는다."

라감이는 가족을 둘러보며 따뜻한 행복감을 느꼈다. "오늘 저녁에 에바 발표 기념으로 특별히 맛있는 저녁을 준비할게. 뭐 먹고 싶어?"

에바는 고민하는 척하다가 외쳤다. "스파게티! 엄마가 만드는 스파게티가 최고예요!"

프랑크는 웃으며 말했다. "그럼 오늘 저녁은 스파게티 파티네."

그들은 함께 아침을 먹으며 웃고 이야기했다. 그녀는 가족의 사랑과 행복이야말로 진정한 힘이라는 것을 느꼈다. 학교로 가기 위해 집을 나서는 에바를 보며 라감이는 말했다. "에바, 발표 잘하고 와. 엄마가 응원할게. 그리고 여기 목걸이!"

에바는 가족사진이 담긴 펜던트를 목에 걸고 힘차게 대답했다. "네, 엄마! 다녀오겠습니다!"

프랑크는 그녀에게 다가와 손을 잡았다. "오늘도 좋은 하루 되길, 여보. 사랑해."

그녀는 그의 손을 꼭 잡으며 대답했다. "당신도요. 사랑해요."

그녀는 알지 못했다. 행복 뒤에 어둠의 그림자가 서서히 다가오고 있다는 것을. 앞으로 다가올 불안한 날들을 까맣게 모른 채, 그저 사랑하는 가족과의 평온한 일상을 이어가고 있었다.

(영환의 비밀 연구실)

영환은 자신의 거대한 모니터 앞에서 미소를 짓고 있었다. 그의 눈에는 심연 같은 어둠이 감도는데…. 그는 라감이가 가장 행복할 때를 기다렸다. 그는 그녀를 심연으로 초대하기가 매우 쉬웠다. 네트워크를 모두 좌지우지할 수 있는 권력을 지녔고. 이제 그녀를 자신의 영토로 초대하기 위한 마지막 단계만 남았다.

(중국으로의 밀항)

권력을 이용한 심연으로의 초대는 그녀의 운명을 쉽게 결정할 수 있다. 그의 교묘한 계획 속에서 그녀는 그의 그림자 아래로 떨어져 심연의 깊은 곳으로 이끌려가고 있었다.

영환은 그녀를 중국으로 밀항하려고 했다. 차원문을 이용한 순간 이동은 너무 많은 변수와 위험이 따랐다. 본인 이외에 다른 사람이 함께 이동하기 어렵다는 것이었다.

비밀 연구실에는 노벨상을 받은 리차드 박사, 양자 얽힘의 권위자인 피에토 박사, 그리고 젊고 재능 있는 물리학자 제임스도 있었다.

"다른 사람도 이동이 가능한 차원문 개발은 아직 멀었나요?," 영환은 팀에 재촉했다.

리차드 박사는 미소를 지으며 말했다. "영환, 당신의 목표는 대단합니다. 하지만 우리는 답이 없는 문제를 풀어야 할 겁니다."

제임스 박사가 덧붙였다. "그렇습니다. 우리는 정답을 찾는 것이 아니라 조금씩 나아가야 합니다. 우리의 이론이 틀린 것으로 밝혀질 때, 우리는 진보할 수 있습니다."

그의 팀은 양자역학의 기초부터 다시 공부했다. 양자 중첩과 양자 얽힘의 원리를 정확히 이해하고, 실험적으로 재검증하는 것이 첫 번째 목표였다.

"양자 중첩은 입자가 두 가지 상태를 동시에 가질 수 있다는 것을 의미합니다. 이를 이용하면 우리가 다른 사람도 중첩을 느낄 수 있습니다." 리차드 박사가 설명했다.

"그리고 양자 얽힘을 이용하면, 두 입자가 어떤 거리에 있든 즉시 상호작용할 수 있습니다. 이를 통해 우리가 원하는 위치로 다른 사람도 이동시킬 수 있을 것입니다." 제임스가 덧붙였다.

시계를 착용한 사람 이외의 다른 사람도 이동시키기 위한 차원문 연구는 계속됐다. 그러나 실험은 여전히 많은 난관에 부딪혔다. 특히 양자 얽힘을 안정적으로 유지하는 것이 큰 장애물이었다.

"우리는 지금까지의 최고의 이론을 세웠지만, 그것이 틀렸다는 것을 인정해야 합니다. 그래야 더 나아갈 수 있습니다." 리차드 박사가 말했다.

 피에토 박사가 고개를 끄덕이며 동의했다. "맞아요. 우리는 항상 자신이 틀리기를 기대해야 합니다. 그래야 새로운 것을 배울 수 있습니다.“

4-1 납치

중국으로의 밀항은 아직 개발되지 않는 프로젝트를 이용하는 것보다 더욱 간단하면서도 효과적인 방법이었다. 중국의 흑사회와의 연결 고리를 이용하여 그녀를 납치하는 것은 식은 죽 먹기였기 때문이다. 또한, 중국으로의 밀항은 그녀에게 심적 불안감을 넣어주기에도 적합했다.

중국은 이미 그의 영향력으로 가득한 나라 중 하나였다. 그가 대한민국 내에 구축한 지하조직인 흑사회와 관련이 많았기 때문이다. 그들은 겉으로는 평범한 사업과 자영업으로 위장했다. 번화가 속의 고급 호텔, 도심 속의 작은 카페, 번잡한 시장 골목의 상점들이 그들의 활동 무대였다. 그들은 철저하게 합법적인 사업체로 가장하며, 자신의 실체를 감췄다. 누가 봐도 대한민국 내수 경제를 살리는 수많은 소상공인 중 하나였지만, 그 이면에는 거대한 범죄 조직의 그림자가 드리워져 있었다.

흑사회는 대한민국의 경찰과 검찰이 해결할 수 없을 정도로 깊이 숨어들었다. 그들은 철저하게 비밀을 유지하며 법망을 피했다. 이들의 영향력은 곳곳에 뻗어 있었고, 대한민국의 중요한 지점들을 장악하고 있었다. 일부 정의감이 넘치는 경찰과 검찰은 흑사회의 정체를 추적하고 있었다.

강한 자는 약한 자에게 동조를 받을 필요가 없었다. 자연의 섭리처럼, 힘 있는 자는 자신의 힘만으로도 충분히 체계를 무너뜨릴 수 있다. 그에게 있어 약한 자들은 그저 본인의 권력을 확인하는 도구에 불과했다. 따라서, 그는 불완전한 시계를 사용하기보다는 중국으로의 밀항을 택했다. 그의 야심 찬 계획은 조용히 시작되었다.

그는 심연으로의 초대장을 보냈다. 대한민국의 수많은 CCTV 네트워크를 통해 그녀의 모습을 쉽게 관찰할 수 있었다.

차가운 밤, 그녀의 사무실 주변에서 모든 움직임을 감시했다. 흔히 그녀는 사무실에서 늦게까지 일하는 습관이 있었고, 그래서 밤늦게까지 지켜보았다. 그녀는 그날도 회사에서 야근을 마치고 지친 몸을 이끌고 퇴근길에 올랐다. 어둠이 내려앉은 서울의 거리에는 가로등 불빛만이 희미하게 길을 비추고 있었다. 시계는 이미 자정을 넘어 새벽을 향해가고 있었고, 거리는 고요했다. 그녀는 터벅터벅 걷다가 지하철역으로 향하는 골목길에 들어섰다. 조작한 교통 신호와 CCTV의 블랙아웃을 이용하여, 갑자기 어디선가 나타난 검은색

봉고차가 그녀 앞에 멈췄다. 그녀는 잠시 멈칫했지만, 곧 별일 아니겠지 생각하며 다시 걸음을 옮겼다. 그런데 그 순간, 봉고차의 문이 벌컥 열리며 검은 옷을 입은 남자들이 쏟아져 나왔다. 그들은 빠르게 그녀를 둘러싸고, 노골적인 의도를 드러냈다.

남자들은 모두 다섯 명이었다. 한 명은 그녀의 팔을 거칠게 잡았고, 다른 두 명은 양쪽에서 그녀를 붙잡아 움직이지 못하게 했다. 남은 두 명은 주변을 경계하며 혹시나 있을지 모를 목격자를 감시하고 있었다. 그녀는 소리를 지르려 했지만, 이미 한 남자가 재빨리 입을 손으로 막았다.

"조용히 해라. 우리가 원하지 않는 일이 생기지 않도록." 납치범 중 한 명이 낮은 목소리로 경고했다. 납치범들은 신속하게 움직였다. 그녀를 봉고차 안으로 끌고 들어가자마자, 그들은 그녀의 손목과 발목을 결박하고, 입에는 재갈을 물렸다. 그녀는 몸부림쳤지만, 그들의 힘을 당해낼 수 없었다. 봉고차 내부는 어둡고, 창문에는 검은 커튼이 쳐져 있다. 그녀는 차가 출발하는 것을 느끼며, 납치범들의 짧은 대화를 들으려 했지만, 그들의 목소리는 낮아서 대체 무슨 말을 하는지 제대로 들을 수 없었다.

"계획대로 움직여야 한다. 실수는 없어야 해." 한 남자가 다른 남자에게 말했다.

"알겠다. 우리는 시간 내에 목적지에 도착할 거야." 다른 남자가 답했다. 차는 서울의 복잡한 골목을 빠르게 빠져나가, 점점 더 어두운 길로 접어들었다. 그녀는 어디로 끌려가는지 전혀 알 수 없었고, 불안으로 가득 찼다.

그녀는 질문해도 답을 듣지 못하고, 주위의 소리와 움직임에 알 수 없는 두려움에 휩싸여 점점 공포에 휩싸였다.

"누구세요?" 그녀는 두려운 목소리로 물었다.
"너한테 중요한 건 '누가'가 아니야. 침착하게 있어. 우리는 부산으로 갈 거야"

납치범들의 답변은 짧고 강한 목소리로 들렸다. 가슴은 두근거리고, 숨을 쉬기 어려웠다. 그녀가 허우적거리는 차 안에서, 영환이는 차원이 왜곡된 세계로의 초대장을 보냈다. 이 모든 일이 그녀의 꿈인가 싶게 느껴졌을 것이다. 하지만, 이것은 현실이었다. 이제 그녀를 기다리는 시간만이 남았다.
그녀는 차가 멈추는 것을 느꼈고, 곧이어 납치범들이 문을 열어 끌어내렸다. 저항해보려 했지만, 결박된 몸은 꼼짝도 하지 않았다. 그들은 어두운 창고 같은 곳으로 데려갔다. 창고 안은 싸늘하고 습기가 가득했다. 벽에는 오래된 페인트가 벗겨져 있었고, 바닥은 차갑고 거칠었다.

"여기에 잠시 머물러 있어라. 우리도 너와 오래 함께하고 싶지 않으니까." 납치범 중 한 명이 말했다. 그녀는 어떻게든 도망칠 방법을 찾으려 했지만, 손발이 묶인 채로는 아무것도 할 수 없었다. 절망으로 가득 찼고, 눈앞의 어둠은 그녀를 더욱 두렵게 만들었다. 그저 이 상황이 끝나기를, 누군가 자신을 구해주기를 간절히 바랄 뿐이었다.

영환은 그녀에게 부드럽게 물었다. "잘 지냈니?"

라감은 입을 다물었다. 말을 하려 했지만, 목구멍이 메어서 소리조차 내지 못했다. 눈물이 그녀의 얼굴을 적시면서, 그녀는 영환에게 매달리듯이 다가갔다.

"제발…. 가족과 딸이 있어요…. 보내주세요…." 그녀의 목소리는 절규와 눈물로 뒤덮였다. 하지만 그는 말을 무시하고, 음악을 틀며 그녀를 끌어안고 춤을 추기 시작했다. 그녀는 몸이 맞지 않아 뒤로 물러나려 했지만, 그의 힘이 너무 강력해서 제자리에 멈추지 못했다. 눈물이 멈추지 않는 채, 그녀는 억지로 춤을 추었다. 그녀의 몸은 저항했지만, 그의 힘에 이끌려 움직였다. 강제로 안기는 것만으로도 괴로웠다. 영환은 그녀의 눈을 바라보며 미소를 지었다. 그러면서 "너를 위한 선물을 준비했어. 좀 더 즐겁게 지낼 수 있을 거야."

라감은 자신의 눈물을 흘리며, 몸이 떨리는 가운데서도 그의 말에 귀를 기울였다. 그리고 그의 품에서 더는 버틸 수 없다는 듯이 밀쳐내며 잠시나마 숨을 골랐다. 피로에 무릎이 흔들리며 그의 팔에 기대어 앉아 있었다. 잠깐의 침묵이 흐른 뒤, 라감은 눈을 감고 깊게 숨을 들이마셨다. "영환 씨?" 작은 목소리로 물었다.

영환은 조용히 미소를 지으며 그녀의 머리를 쓰다듬었다. "그래, 나야." 그가 대답했다.

그 순간, 라감은 깜짝 놀랐다. "영환?"이라며 그녀는 안대를 눈에 가져다 대며 소리쳤다. "왜 여기 있는 거야? 이게 무슨 일이야?"

영환은 그녀의 안대를 걷어내며. "서프라이즈!"

라감은 과거의 일들로 눈물이 맺혔다. 고개를 숙이고 무릎을 꿇고, 약간의 무게감에 털썩 주저앉았다. 영환은 친절하게 그녀의 어깨를 가볍게 톡톡 치며 웃었다. "너무 무섭게 생각하지 마. 이제 시작일 뿐이야." 그가 그녀의 귀에 귓속말을 속삭였다.

영환은 다음으로 그녀가 바라는 것들인 공권력인 경찰과 검찰의 구조와 움직임을 처참하게 무너뜨리고자 했다. 예전에 내가 베푼 호의를 '경찰에 신고하겠어요'라는 말로 되받아친 것을 비웃듯이, 그녀에게 좌절감을 심어주기 위해 굳이 신고하라고 했다. 위치 추적이 불가능한 핸드폰을 던져주며 "경찰에 신고해봐. 가고 싶으면 가보라고."라고 말했다.

그녀는 가슴이 쿵쾅거리는 가운데 폰을 손에 쥐고 경찰서에 전화를 걸었다. 손가락이 떨렸지만, 그녀는 자신을 다잡으며 통화 버튼을 눌렀다. 몇 초 후, 부산 경찰서의 한 경위가 전화를 받았다.

"부산 경찰서입니다. 무엇을 도와드릴까요?"

"저…. 제가 납치당했습니다," 그녀는 숨을 몰아쉬며 빠르게 말했다. "도와주세요!"

몇 초의 침묵이 흘렀고, 곧이어 경위의 차분한 목소리가 들렸다. "위치를 정확히 말씀해 주시겠어요?"

"어딘지 정확히 모르겠어요, 부산 어느 창고에 갇혀 있었어요," 그녀는 눈물을 삼키며 말했다.

경위는 신속히 반응했다. "안전한 장소로 이동할 수 있겠습니까? 가능한 한 빨리 위치를 파악하고 지원을 바로 보내겠습니다."

경위는 그녀를 진정시키려 노력했다. "그동안 전화기를 끊지 말고, 가능한 한 안전한 곳에 머무르세요. 저희가 접근하는 동안 위치를 정확히 파악할 수 있도록 해 주시기 바랍니다."

영환의 강한 손이 그녀의 핸드폰을 낚아챘다.

"왜 가져가요!" 그녀는 당황한 목소리로 외쳤다.

영환은 조용히 섬뜩한 미소를 지으며 그녀를 내려다봤다.

"이제 곧 경찰이 오겠군," 그는 부드럽게 말하며, 암호화된 핸드폰을 자신의 주머니에 넣었다. "하지만 네가 있을 장소는 여기가 아니지."

부산 경찰서의 상황실은 그녀가 신고한 핸드폰이 위치 추적이 불가능하다는 사실이 확인되자, 도시 전역에 비상 경계령을 내리고 라감 구출 작전에 돌입했다. 그리고 의심되는 서면의 한 건물로 출동할 준비를 마쳤다.

"모두 준비됐습니까?" 지구대 팀장이 무전을 통해 물었다.

"이상 없습니다," 팀원들이 응답했다.

어둠이 내린 서면의 거리는 고요했지만, 경찰차의 사이렌 소리와 함께 긴박한 분위기가 감돌았다. 경찰차들은 일렬로 빠르게 향했다. 경찰들은 목표 건물에 도착하기 직전, 차에서 내려 주변을 경계하며 진입 준비를 시작했다.

"목표 건물 도착. 모두 위치로!" 팀장이 명령을 내렸다.

경찰들은 건물 주변을 신속히 포위하며 진입 지점을 확보했다. 목표 건물은 외관상 평범해 보였지만, 내부에는 납치범들의 은신처라는 정보가 있었다. 경찰들은 조심스럽게 건물에 접근했다. 각자의 위치에서 서로를 커버하며 천천히 건물로 다가갔다.

"1팀, 북쪽 진입. 2팀, 남쪽 진입. 3팀, 동쪽 대기," 팀장은 차분하게 명령을 내렸다.

경찰들은 명령에 따라 각자의 위치를 잡고, 진입 준비를 마쳤다. 안은 어둡고 적막했다. 경찰들은 손전등을 켜고, 조심스럽게 발걸음을 옮기며 내부를 비췄다.

“2층 클리어,” 한 경찰이 무전을 통해 보고했다.

“3층 클리어,” 또 다른 경찰이 응답했다.

일제히 지하로 진입했다. 그러나 흑사회는 이미 그들의 접근을 알아차리고 준비하고 있었다. 경찰이 지하에 들어서자마자, 어둠 속에서 총성이 울려 퍼졌다. “총격전이다! 모두 엄호해!” 김 경감이 소리쳤다. 경찰들은 신속히 엄폐물 뒤로 몸을 숨기고 대응 사격을 시작했다. 하지만 흑사회 조직원들은 AK74로 무장했기 때문에 훨씬 강력했다. 총탄이 빗발치듯 날아다니며, 지하실은 아비규환의 현장으로 변했다. “지원 요청해! 당장!” 김 경감은 급히 무전기를 집어 들었다. “본부, 본부, 여기는 부산 지구대. 긴급 상황이다. 흑사회와 총격전 중이다. 즉각적인 지원이 필요하다! 반복한다. 즉각적인 지원이 필요하다!”

본부에서는 상황의 심각성을 인지하고 즉시 대응에 나섰다. “알겠다, 김 경감. 특공대와 68사단, 특수부대를 긴급 파견한다. 버티고 있어라.” 하지만 흑사회는 경찰들의 저항을 예상하였던 듯, 더욱 거세게 밀어붙였다. 경찰들은 점점 밀려나며 전의를 상실했다. 적의 화력은 너무나 강력했고, 결국 후퇴할 수밖에 없었다. "모두 퇴각해! 빨리!" 김 경감이 외쳤다. 경찰들은 부상자들을 부축하며 건물을 빠져나갔다. 밖으로 나와 본부에 무전을 보냈다. "본부, 여기는 김 경감. 우리는 패배했다. 납치범들이 너무 강하다. 신속지원이 필요하다. 그녀가 여기 갇혀 있는지는 확실치 않지만, 흑사회 본거지로 추정된다!"

경찰은 그저 손을 뻗어도 닿지 않는 권력의 벽 앞에 서 있는 듯했다. 경찰은 그녀의 신고로 즉시, 출동했지만. 손을 쓸 수 없었다. 흑사회와 어둠의 권력들은 경찰의 움직임을 손쉽게 묶어버렸다. 그는 긴 시간 동안 대한민국을 자신의 권력으로 만들어왔다. 그의 네트워크는 곳곳에 뿌려져 있었다.

본부에서는 이미 특공대와 68사단, 특수부대가 출동 준비를 마치고 있었다. "김 경감, 지원이 곧 도착할 것이다. 버텨라. 우리가 간다."

특공대와 68사단, 특수부대는 무장 차량과 함께 빠르게 현장으로 이동했다. 도시의 밤은 다시 긴장감으로 가득 찼다. 경찰 특공대와 군의 합동작전이 시작되었다. 해운대의 화려한 불빛은 여전히 바다를 비추고 있었고, 관광객들은 거리의 활기를 만끽하고 있었다. 하지만 그 평온함 뒤에는 긴장감이 감돌고 있었다. 각 팀은 맡은 구역을 철저히 수색하며, 흑사회의 근거지를 하나씩 파악해 나갔다.

부산의 중심부로 진입한 특공대원들은 고도의 긴장감을 유지하며 작전을 수행했다. 그들은 거친 골목길을 조심스럽게 이동하며, 눈앞에 있는 모든 적을 제거해 나갔다. 흑사회는 특공대의 압도적인 전력 앞에서 점차 밀려나기 시작했다.

총성과 폭발음이 곳곳에서 들렸다. 건물 사이로는 연기가 피어올랐고, 시민들은 공포에 질려 지하철로 대피했다. 특공대원들은 신속하게 건물 내부로 진입해 흑사회의 조직원들을 제압했다. 한편, 68사단 군대와 특수부대는 주요 거점들을 점령하며 흑사회의 도주로를 차단했다.

흑사회는 철수하기 시작했다. 그들은 부산의 밤거리를 뒤로 한 채, 차례로 숨겨둔 탈출 경로인 부산항으로 도망쳤다. 비상등과 사이렌 소리로 가득 찼다. 긴급 명령이 내려왔다. 그녀가 납치된 곳이 부산항 인근의 한 창고라는 정보가 입수되면서 특공대와 특수부대는 서면에서 부산항으로 즉시 출동 명령을 받았다. 도심을 가로지르며 질주하는 검은색 레토나, 특공대원이 탑승한 트럭들이 줄지어 이동했다. 그들의 헤드라이트가 어둠을 뚫고 번쩍였고, 도로 위의 모든 차는 비켜서며 그들의 통로를 열어주었다. 차량 내부에서는 특공대원들이 마지막 장비 점검을 하고 있었다. M16 소총의 장전을 확인하며 결의에 찬 표정으로 서로를 응시했다.

"모두 집중해, 목표는 부산항의 창고다. 그녀를 반드시 구출한다."

특공대장 이 중령이 무전을 통해 명령을 내렸다. 그의 목소리는 단호하고 냉철했다.

한편, 특수부대는 헬리콥터로 공중에서 지원할 준비를 하고 있었다. 헬리콥터의 로터가 회전하며 강렬한 바람을 일으켰고, 특수부대원들은 줄을 잡고 신속하게 헬리콥터에 올라탔다. 그들의 검은 유니폼은 밤하늘에 녹아들었다. "헬리콥터는 부산항으로 직행한다. 목표를 확인하면 바로 하강한다," 특수부대장 박 대령이 명령을 내렸다. 헬리콥터는 굉음을 내며 하늘로 떠올랐고, 부산항으로 향했다.

부산항에 도착한 지상부대는 신속히 포위망을 구축했다. 레토나들은 일렬로 늘어서며 엄폐를 제공했고, 군용 트럭에서 내린 군인들은 신속하게 진형을 갖추었다. 그들은 NVG(야시경)를 착용하고 창고 주변의 움직임을 예의주시했다.

"모두 준비해," 특공대장 이 중령이 무전을 통해 지시를 내렸다. "돌입한다."
특공대원들은 신속하게 창고로 접근했다. 폭발물 전문가가 앞장서서 출입문에 폭약을 설치했다. 짧은 순간의 정적 후, 폭발음이 울려 퍼졌다. 문이 열리자 특공대원들은 일제히 창고 안으로 돌진했다. 그들의 움직임은 정확하고 빠르며, 각자의 위치를 사수했다. 흑사회 조직원들은 반격을 시도했지만, 특공대와 특수부대의 압도적인 화력과 훈련된 전술 앞에서 속수무책이었다.

헬리콥터가 창고 위로 도착하자, 특수부대원들은 줄을 타고 신속하게 하강했다. 그들은 창고 내부로 돌입해 특공대와 합류했다. "사격개시!" 한 대원이 외쳤다. 특공대와 특수부대, 68사단이 창고 안을 기습했지만, 흑사회 일부만 제거할 수 있었고, 그녀는 그곳에 없었다. 그 사실을 알게 되자 모두의 얼굴에는 당혹감이 서렸다. 곧이어 그녀가 부산항에 떠 있는 선박 중 하나에 갇혀 있다는 정보가 입수되었다. 모든 부대가 즉시 새로운 명령을 받았다.

"철수! 목표는 근처에 있는 항구의 배다!" 이 중령의 목소리가 무전을 통해 퍼져나갔다.

뉴스는 마치 국내 사법계와 정치계에 폭탄을 투척한 것 같았다.

그녀의 납치 사건이 드러나자, 국내의 모든 매체가 일제히 이를 대서특필했다. 신문 1면은 물론, 텔레비전 뉴스와 온라인 포털 사이트의 헤드라인은 모두 그녀의 납치 소식을 전했다. 사람들은 분노했고, 거리에서는 그녀를 찾기 위한 촛불 집회가 열렸다. 수백 명의 사람이 그녀의 무사 귀환을 기원하며 모여들었다.

"유명 방송사 앵커가 카메라를 응시하며 말한다. '지금까지 알려진 바에 따르면, 라감 씨는 회사에서 퇴근하던 중 납치된 것으로 추정됩니다. 경찰은 즉각 수사에 착수했으며, 사건의 경위를 밝히기 위해 총력을 기울이고 있습니다.'

"KBC 9시 뉴스입니다. 국민 여러분 오늘 20대 여성이 서울에서 한밤중에 대한민국이 아닌 중국의 흑사회 조직에 납치되었습니다. 국제 문제로 번질 가능성이 큽니다."

이 사건이 국내에서 뜨겁게 다루어지는 동안, 세계 언론은 아무 일도 없었던 것처럼 조용했다. CNN, BBC, 알자지라 등의 주요 국제 뉴스 채널은 그녀의 납치 사건을 단신으로만 전했을 뿐, 깊이 있는 분석이나 후속 보도는 없었다. 그들은 이 사건이 국제 사회에 어떤 영향을 미칠지에 대해 별다른 관심을 보이지 않았다. 유엔안보리와 평화기구 역시 침묵을 지켰다. 그들은 이 사건을 단지 지역적인 문제로 간주하고, 개입하지 않기로 했다. 차가운 침묵만이 흐를 뿐, 그 어떤 결의안도 채택되지 않았다.

유엔안보리 의장이 조용히 입을 연다 "이번 사건은 대한민국 내부의 문제로, 국제 사회의 직접적인 개입을 자제하는 것이 옳다고 판단합니다." 각국의 대사들이 고개를 끄덕이며 동의의 표시를 보였다.

한국 내의 언론과 시민들은 분노했지만, 그들의 목소리는 국경을 넘지 못했다. 이 상황은 그의 계획대로 흘러가고 있었다. 대한민국의 힘이 세계 무대에서 얼마나 미약한지를 알고 있었고, 이를 이용해 자신만의 게임으로 이끌고 있었다. 이제 그녀를 구출할 수 있는 것은 오직 대한민국 자체의 힘뿐이었다. 국제 사회의 무관심 속에서, 한국은 이 난관을 극복해야 했다. 대한민국은 이 일이 국제 정치적인 계략의 일환인지, 아니면 개인적인 복수의 표현인지 그 누구도 확신할 수 없었다.

부산의 밤은 검게 물들었다. 도시의 불빛이 바다 위로 반짝이는 가운데, 긴장감이 감도는 바람이 차디찬 바다 위를 스쳐 갔다. 대한민국 경찰과 군인들이 총동원되어 항구에 모여들었다. 항구에서는 군함과 경찰 보트가 서둘러 도착했다. 군인들은 방탄복을 입고, 무장을 갖추며 명령을 기다렸다. 경찰 특공대도 명령을 받고, 인질 구조 작전을 위한 마지막 점검을 마쳤다.

"우리는 그녀를 반드시 구해야 한다. 하지만 흑사회와 전면전을 피해야 한다는 점을 잊지 말라." 작전 지휘관이 날카롭게 명령을 내렸다. 그의 목소리에는 다급함과 결단력이 섞여 있었다.

항구에 도착한 특공대와 특수부대, 68사단의 군인들은 곧바로 보트에 타기 위해 바다 앞으로 집결했다. 밤바다의 차가운 공기가 그들의 얼굴을 스쳤지만, 그들은 흔들림 없는 눈빛으로 목표를 응시했다. 선착장에는 다양한 크기의 배들이 정박해 있었다.

"목표를 정확히 확인하라." 박 대령이 무전을 통해 명령했다. "각 팀은 지정된 배를 수색한다."

군용 헬리콥터가 바다 위를 순회하며 그들의 밝은 서치라이트가 어둠 속에서 각각의 배를 비추었다. 해상경찰 특공대의 고속정들도 바다를 가르고, 특수부대원들은 고속보트를 타고 바다로 나아갔다. 그들의 검은 유니폼이 물에 젖었지만, 전혀 개의치 않았다.

"저 배다," 한 대원이 무전을 통해 보고했다. "목표는 저기 있다."

중국의 선박들은 경계태세를 갖추고 있었다. 그들의 무장 세력은 적의 움직임을 주시하며 긴장감을 늦추지 않았다. 그녀는 다양한 선박 중 하나에 갇혀 있었고, 그녀를 구출하기 위한 작전은 위험천만이었다.

"지휘관님, 상황이 어렵습니다. 흑사회와의 전면전을 피하면서 그녀를 구출하려면 정교한 계획이 필요합니다," 한 특공대원이 말했다.

"알고 있다," 지휘관은 단호하게 대답했다.

작전이 시작되면서, 부산 앞바다의 긴장감은 최고조에 달했다. 군함의 엔진 소리가 저 멀리서 들려왔고, 보트들이 어둠 속을 가로지르며 조용히 움직였다. 그들의 목표는 중국 선박에 접근하여 그녀를 구출하는 것이었다.

"모두 준비됐다. 이제 시작한다," 지휘관의 명령이 떨어지자마자, 군함과 보트들이 동시에 움직였다. 그들은 그녀가 갇힌 선박에 접근하며, 최대한 소음을 줄이며 신속하게 작전을 펼쳤다.

"우리의 목표는 그녀를 구출하는 것이다. 최대한 신속하고 조용하게 움직인다," 경찰 특공대의 팀 대표가 마지막으로 지시를 내렸다.

한편, 중국 선박 안에서는 흑사회의 조직원들이 무장을 강화하며 경계를 강화하고 있었다. 그들은 대한민국의 움직임을 감지하고, 언제든지 공격할 준비가 되어 있었다.

"적들이 우리를 발견했다. 신속히 움직여야 한다!" 한 특공대원이 외치자, 팀원들은 일사불란하게 움직였다. 시간이 촉박했다.

대한민국의 함대와 보트들이 포진을 끝내고 배 위로 올라가기 직전, 갑자기 그들 주위로 중국 정부의 잠수함과 전투기가 나타났다. 중국의 공군과 해군은 대한민국의 영공과 영해를 침범하면서 일촉즉발의 위기로 치달았다. 잠수함의 거대한 검은 선체가 떠오르자, 특수부대원들의 얼굴은 하얗게 질렸다. 공중에서는 중국의 전투기들이 대한민국의 영공을 침범하며, 부산항을 위협적으로 선회하고 있었다. 전투기들의 회전과 비행으로 섞인 강력한 소음은 그들의 의도를 명확히 드러냈다. 중국의 등장과 무력시위는 그들을 당혹스럽게 만들었다.

"중국 잠수함이 우리의 영해를 침범했다! 그들의 공군기도 우리 영공을 넘나들고 있다," 한 정보 장교가 급하게 보고했다.

"작전을 잠시 멈추고 상황을 주시하라," 지휘관은 명령을 내렸다.

그의 목소리에는 다급함과 함께 깊은 고뇌가 섞여 있었다. "대통령의 명령이 떨어지기 전까지 어떠한 행동도 금지한다."

부산 항구에 있는 지휘 본부는 혼란과 긴박함으로 가득 차 있었다. 군과 경찰의 고위 간부들은 급히 대책을 논의하며, 대통령의 결단을 기다리고 있었다. 작전을 계속 진행하면 중국과의 전면전이 불가피할 수도 있었다.

"지휘관님, 중국의 움직임이 심상치 않습니다. 그들의 군사력이 우리를 압도할 가능성이 있습니다," 한 참모가 말했다.

"알고 있다. 대통령의 명령이 떨어지기 전까지는 아무런 행동도 할 수 없다," 지휘관은 답답한 심정을 애써 감추며 답했다.

그 시각, 서울의 청와대에서는 긴급회의가 열렸다. 대통령과 그의 참모들은 상황의 심각성을 논의하며 신중한 결정을 내리기 위해 고심하고 있었다.

"중국과의 전면전을 피해야 합니다. 그러나 그녀의 구출을 포기할 수는 없습니다," 대통령이 말했다. 그의 얼굴에는 피로와 걱정이 역력했다.

"대통령님, 시간이 많지 않습니다. 중국의 군사력이 계속해서 우리를 압박하고 있습니다. 빠른 결단이 필요합니다," 국방부 장관이 말했다. 부산 앞바다에서는 시간이 멈춘 듯한 긴장감이 흘렀다. 경찰과 군인들은 지휘관의 명령을 기다리며, 언제든지 작전을 재개할 준비를 하고 있었다. 그러나, 그들의 눈은 바다 위로, 그리고 공중으로 향했다. 중국의 군사력은 너무나 위협적이었고, 그들과의 충돌은 피할 수 없는 순간이 다가오고 있었다.

여론도 급격히 바뀌고 있었다. 텔레비전과 인터넷 뉴스, 신문 헤드라인에는 하나같이 '핵무장'이라는 단어가 대서특필되었다. 국민은 중국의 무력시위와 라감이 납치 사건으로 국가 안보가 위험에 빠졌다고 생각했다.

거리에는 '핵무장 찬성'이라는 피켓을 든 시민들의 시위가 이어졌고, SNS에는 "#핵무장", "#자주국방" 등의 해시태그가 끝없이 올라왔다. 여론 조사 결과, 핵무장을 찬성하는 국민 비율이 98%를 넘어섰다. 사람들은 자주 국방력을 강화해야 한다는 목소리를 높이며, 정부의 결단을 촉구했다. 정부 청사 앞에 설치된 대형 스크린에서는 대한민국 정부와 중국 정부 간의 협상 장면이 생중계되고 있었다. 국민은 숨죽인 채 그 장면을 지켜보았다. 협상 테이블에 앉은 한국 대표단과 중국 대표단의 얼굴은 팽팽한 긴장감으로 가득했다.

"우리는 우리의 국민을 보호해야 합니다," 한국 대표단의 수석 협상가가 단호하게 말했다. "중국의 무력시위는 명백한 주권 침해입니다. 이에 대한 분명한 사과와 재발 방지 약속이 필요합니다."

중국 대표단의 수석은 냉소적인 미소를 지으며 답했다. "우리는 우리의 이익을 지킬 뿐입니다. 한국이 이를 이해하지 못한다면, 협상은 어려울 것입니다."

국민은 그 장면을 보며 분노와 불안을 느꼈다. 협상이 결렬될까 두려워하면서도, 손을 모으고 기도하는 모습이 보였다. 그들의 눈에는 간절한 희망과 불안이 교차하고 있었다.

한편, 서울의 한 카페에서는 친구들과 함께 협상 장면을 지켜보던 김 씨가 자리에서 일어나 말했다. "이제는 우리도 핵을 가져야 해. 그래야 이런 일이 다시는 일어나지 않을 거야." 그의 말에 친구들도 고개를 끄덕이며 동의했다. 국회 앞 광장에서도 시민들이 모여 대형 스크린을 바라보고 있었다. 이들은 정부가 강경한 태도를 보여주기를 바랐다. "더는 끌려다니면 안 됩니다!" 한 중년 남성이 외쳤다. 그의 목소리는 광장에 모인 사람들의 마음을 대변하는 듯했다. 그들의 시선은 오직 협상 테이블에 집중되었고, 그 결과가 어떻게 나오든 대한민국의 미래를 결정짓는 중요한 순간임을 모두가 알고 있었다.

부산 앞바다의 해변에는 불길한 침묵이 감돌았다. 폭풍이 몰아치기 전의 고요함과도 같은 극도의 긴장감 속에서 바다 물결은 해안선을 세차게 두드리며 흰 물거품을 일으켰고, 그 소리는 수천 마리의 말들이 달리는 듯한 굉음과 같았다. 긴장감은 공기 중에 전류처럼 흘렀다. 군인들과 경찰들은 한껏 굳은 얼굴로 이마에는 땀이 맺힌 채, 총을 움켜쥐었다. 그들은 협상 결과를 주시했고, 지휘관과 참모들은 초조하게 대통령의 명령을 기다렸다.

"중국과의 전면전은 불가피합니다. 그들의 군사력은 우리의 예상을 훨씬 뛰어넘고 있습니다," 한 정보 장교가 보고했다. "대통령의 결단이 필요합니다," 지휘관은 깊은 한숨을 내쉬며 말했다.

서울의 청와대에서는 긴급회의가 계속되고 있었다. 대통령과 그의 참모들은 상황의 심각성을 논의하며 신중한 결정을 내리기 위해 고심하고 있었다. 하염없이 시간만 흘러갔다.

"중국과의 전면전을 피해야 합니다. 그러나 라감이를 구출할 수 없는 상황에서 우리는 어떻게 해야 합니까?" 무능한 국방부 장관이 물었다.

"우리는 외교로 중국과의 이해조건을 풀어야 합니다. 전면전을 피하기 위해서는 이 방법밖에 없습니다," 대통령은 단호하게 말했다.

"하지만, 대통령님, 그렇게 되면, 그녀가 중국으로 납치되는 순간을 지켜볼 수밖에 없는 상황입니다," 한 참모가 조심스럽게 말했다.

"우리는 외교적인 해결책을 찾아야 합니다. 중국과의 이해조건을 풀고, 협상을 통해 문제를 해결해야 합니다," 대통령이 결단을 내렸다. 그리고 협상 테이블에 있는 한국 대표단의 수석에게 이 사실을 건넸다.

대한민국은 결국, 핵을 800발이나 보유한 중국과의 전면전을 피하고자 중대한 선택의 갈림길에서 방향을 정했다. 정부는 중국과의 전면전을 감수하면서까지 그녀를 구출할 수 없었기에, 추후 외교적으로 해결책을 찾기로 최종결정했다.

해가 떠오르며, 붉은 여명이 서울의 스카이라인을 물들였다. 그와 함께 대한민국 국회는 긴장감이 감도는 아침 회의를 시작했다. 국회의사당 건물은 서서히 밝아지는 하늘 아래서도 굳건히 서 있었고, 회의실의 대형 창문을 통해 들어오는 첫 햇살은 회의장을 더욱 선명하게 비추었다. 의원들은 일찍부터 자리를 잡고 앉아 있었고, 서로의 얼굴을 살피며 눈빛을 교환했다. 이번 회의의 중요성을 모르는 이는 단 한 사람도 없었다. 그녀의 구출 작전에 관한 대통령의 최종 결정을 둘러싼 좌파와 우파의 대립은 그 어느 때보다도 격렬했다.

"우리가 지금 중국과 전면전을 벌일 수는 없습니다!" 좌파 의원 김상훈은 단호하게 말했다. 그의 목소리는 마이크를 통해 울려 퍼졌고, 회의실은 순간적으로 조용해졌다. "이건 우리의 국민 전체를 위험에 빠뜨릴 수 있는 무모한 행동입니다. 우리는 외교적인 해결책을 찾아야 합니다."

이에 우파 의원 박재훈은 즉각 반박했다. "김 의원님, 말이 안 되는 소리 그만하시죠. 지금 이 순간에도 우리 국민이 중국으로 납치되고 있습니다! 우리가 강경하게 나서지 않으면, 그들은 계속해서 우리를 무시할 것입니다. 군사 작전을 통해 단호한 대응을 보여줘야 합니다!"

회의장은 점점 더 시끄러워졌다. 서로 다른 이념을 가진 의원들은 각자의 입장을 강력히 주장하며 목소리를 높였다. "군사 작전이 답이 아닙니다!" "외교적 해결책은 시간이 너무 오래 걸립니다!" "우리는 국민의 안전을 최우선으로 해야 합니다!" "중국에 굴복할 수는 없습니다!"

좌파와 우파 의원들은 여전히 각자의 견해를 고수하며 서로를 설득하려 했지만, 대통령의 결정에 따른 일종의 절충안에 어느 정도 동의할 수밖에 없었다. 회의가 끝난 후, 박재훈은 김상훈을 찾아가 말을 걸었다. "김 의원님, 우리는 서로 다른 입장이지만, 결국 같은 목표를 가지고 있다는 걸 잊지 말아야 합니다. 우리 국민을 지키는 것이 최우선입니다."

김상훈은 고개를 끄덕이며 답했다. "맞습니다, 박 의원님. 우리는 같은 목표를 가지고 있습니다. 이제는 우리가 어떻게 협력할지에 대해 더 논의해야 할 것 같습니다."

이 긴박한 상황 속에서도, 서로 다른 입장을 가진 사람들은 표면적으로 협력하는 듯 보였으나, 한 여자의 목숨을 놓고 정치적으로 표를 계산하는 썩어빠진 정치인들이었다. 그들은 자신에게 유리한 표가 되도록 그 상황을 이용했다.

좌파와 우파가 모두 모인 대통령 회의실의 탁자와 의자 그리고 벽의 디자인까지 모두 빛나는 고풍스러운 공간이었지만, 그 안에 모인 사람들의 표정은 어둡고 계산적이었다. 커다란 테이블을 둘러싼 장관들과 정치인들은 겉으로는 그녀의 생명을 구하기 위한 최선의 방안을 논의하는 듯했지만, 각자의 속셈은 사뭇 달랐다.

"우리는 국민의 생명을 최우선으로 생각해야 합니다,"라고 외교부 장관이 말하며 다소 연극적인 손짓을 취했다. 그러나 그의 눈빛은 다른 무엇보다도 차기 선거에서 여당이 얻을 수 있는 표를 계산하고 있었다.

"중국과의 외교 관계를 고려해야 합니다. 무리한 행동은 우리 경제에 치명타가 될 수 있습니다,"라고 재무부 장관이 덧붙였다. 그의 목소리는 냉정했지만, 속으로는 자신이 몰래 얼마나 더 많은 중국기업 후원금을 뒤로 받을 수 있을지 고민하고 있었다.

회의실의 공기는 무겁고 답답했다. 누군가 손을 들어 발언할 때마다 그들의 말은 마치 무대 위의 배우처럼 느껴졌다. 대통령은 이 모든 것을 눈치채고 있었다. 이 자리에서 결정되는 것이 단순히 한 사람의 생명만이 아니라, 앞으로의 정치적 운명을 좌우할 것임을. 벌어지는 모든 대화와 행동은 마치 정교하게 짜인 연극 같았다. 각자의 배역에 충실한 그들은 그녀의 생명을 담보로 정치적 게임을 펼치고 있었다.

회의실 밖에서는 수많은 기자가 실시간으로 상황을 중계하고 있었고, 국민은 텔레비전과 인터넷을 통해 이 모든 과정을 지켜봤다. 그들에게 이 회의는 그녀를 구하기 위한 긴급 협력 장면으로 보일지 모르지만, 실제로는 여러 정치적 계산과 이익이 뒤엉킨 추악한 싸움이었다. 회의가 끝난 뒤, 기자들의 질문이 쏟아지는 찰나, 그녀를 실은 배는 부산항을 떠나고 있었다. 실시간으로 뉴스 속보가 전해졌다.

"중국과의 외교 협상은 어떻게 진행되고 있습니까?"
"라감 씨의 안전은 보장된 것입니까?"
"대한민국 정부 대응이 옳다고 생각하십니까?"

각 방송국의 기자들은 마이크를 들고 고위 관계자들에게 질문을 퍼부었다. 그러나 그들의 답변은 뻔한 형식적인 말들뿐이었다.

"정부는 현재 최선을 다해 상황을 해결하려 노력하고 있습니다. 국민 여러분께서는 걱정하지 마시고, 저희를 믿어주십시오, "라고 외교부 대변인은 반복적으로 말하며 긴장을 숨기려 애썼다.

한편, 그녀를 실은 배는 중국의 전투기와 군함, 잠수함의 철저한 호위 속에 남해를 가로질렀다. 전투기들은 매섭게 경계하며 하늘을 지키고 있었고, 군함들은 배 양쪽에서 움직였다. 수면 아래에는 보이지 않는 잠수함들이 어둠 속을 조용히 항해하며, 모든 상황을 철저히 경계하고 있었다. 배에서도 긴장감이 감돌았다. 중국 군인들과 흑사회는 완벽하게 훈련된 자세로 각자의 위치를 지키고, 갑판 위에서는 바람이 세차게 불었다. 모든 것이 숨죽인 듯 조용했지만, 배의 엔진 소리와 파도가 부딪히는 소리가 묘하게 어우러졌다.

실시간으로 그녀가 떠나는 모습이 텔레비전 화면으로 중계되었다. 배가 중국으로 향하는 모습을 보며 국민은 여러 가지 감정을 느꼈다. 분노, 불안, 두려움, 그리고 어쩔 수 없는 체념. 정부의 대응에 실망한 사람들도 있었고, 지금 이 순간이 무사히 지나가기를 간절히 바라는 사람들도 있었다. 중국으로 향하는 길목에 드리운 어둠이 유난히 짙게 깔린 곳은 그녀 가족들의 마음이었다. 부모님과 남편은 항구에 남아 그녀를 떠나보내야만 했다. 그녀의 어머니는 눈물을 닦아내며 딸의 이름을 부르짖었다.

"라감아! 제발 돌아와!" 찢어지는 듯한 슬픔과 울부짖는 소리는 점점 희미해져 가는 배의 엔진 소리와 섞여갔다. 그녀의 아버지는 침묵 속에서 고개를 숙인 채 어깨를 들썩이며 흐느꼈다. 눈물로 범벅된 그의 얼굴은 딸을 지켜주지 못한 무력감과 자책으로 일그러져 있었다. 그는 하얗게 질린 주먹을 꽉 쥔 채 바다를 향해 외쳤다. "왜 이런 일이 우리 딸에게 일어나는 거냐고! 제발…. 제발…."

그녀의 남편은 뱃머리를 떠나보내는 것을 끝내 견디지 못하고 무릎을 꿇었다. 두 손으로 얼굴을 감싸며 흐느끼는 그의 모습은 처절했다. "라감.. 미안해…. 내가 너를 지키지 못했어…." 그의 울음소리는 항구의 차가운 공기를 타고 퍼졌다. 가족들은 서로를 부둥켜안고 오열하며 슬픔을 나눴다. 그들의 슬픔은 마치 무거운 짐처럼 항구를 덮고 있었다. 시간은 멈춘 듯했고, 배는 점점 더 멀어져 가며 그들의 시야에서 사라졌다. 그들은 딸과 아내를 잃은 현실을 받아들이기 힘들었다.

항구 주변에는 대한민국 군인들이 철수하고 있었지만, 그들의 눈에는 감정을 찾을 수 없었다. 명령에 따라 움직이는 그들은 그저 묵묵히 상황을 지켜볼 뿐이었다. 그리고 왜 중국이 그를 돕는지에 대한 의문은 국민과 대한민국 정부 사이에서 큰 혼란을 불러일으켰다. 다양한 음모론이 떠돌기 시작했고, 사람들은 저마다의 가설을 세우며 불안해했다.

서울의 한 카페에서는 몇몇 사람들이 진지한 표정으로 이야기를 나누고 있었다.

"내 생각에는 영환이가 중국과 비밀 협정을 맺은 거야. 그렇지 않고서야 중국이 이렇게까지 그를 도울 이유가 없잖아," 한 남자가 말했다.

"그럴 수도 있어. 하지만 혹시 중국이 그를 이용해서 우리나라를 혼란에 빠뜨리려는 건 아닐까?" 다른 여자가 조심스럽게 덧붙였다.

"음모론이야말로 우리가 지금 처한 상황의 혼란을 더 키우는 것 같아," 나이가 지긋한 남자가 고개를 저으며 말했다. "우리 정부가 더 많은 정보를 공개해야 한다고 생각해."

정부 내부에서도 혼란이 가중되었다. 각 부처의 장관들과 고위 관료들은 이 상황을 이해하기 위해 머리를 맞대고 있었다.

"중국이 왜 그를 돕는지 아직 확실한 정보가 없지만, 우리가 이 상황을 제대로 파악하지 않으면 더 큰 혼란에 빠질 수 있습니다," 국정원장이 긴급회의에서 말했다.

"그렇다면 우리는 그가 왜 중국과 손을 잡았는지, 그리고 그들의 궁극적인 목표가 무엇인지를 파악해야 합니다," 대통령이 결단을 내렸다. "외교적 해결책을 찾는 것과 동시에, 우리는 그의 배후에 있는 진실을 밝혀내야 합니다."

회의실 안은 무거운 침묵이 감돌았다. 모두가 이번 사태의 심각성을 알고 있다. 그러나 구체적인 정보가 부족한 상황에서, 각종 음모론과 불확실한 소문들만이 난무했다.

한편, 거리에서는 시민들이 불안한 표정으로 뉴스 속보를 지켜보고 있었다. 중국의 군사 행동과 그의 정체에 대한 보도는 사람들의 마음을 더욱 혼란스럽게 만들었다.

"중국이 도대체 왜 영환이를 돕는 걸까? 우리가 모르는 뭔가가 있는 게 분명해," 한 시민이 친구에게 말했다.

"그러게 말이야. 정부는 왜 이렇게 아무것도 밝혀주지 않는 걸까? 우리도 알 권리가 있잖아," 친구가 맞장구쳤다.

이 혼란스러운 상황 속에서 대한민국은 점점 더 깊은 미궁으로 빠져들었다. 국민은 정부의 대처에 불만을 표출했고, 정부는 그와 중국의 관계를 파헤치기 위해 필사적으로 노력했다. 그러나 아직은 그 어떤 명확한 답도 보이지 않았다.

그는 자신의 복수가 점차 실현되면서도 중국과의 영구적인 동맹은 언젠가 끝날 것이라고 명백히 알고 있었다. 중국 정부는 자국의 이익을 위해서라면 언제든지 자신을 배반할 수 있는 존재였다. 이를 알고 있던 그는 또 다른 힘을 준비해 두고 있었다. 그 힘은 '어둠의 그림자'라 불리는 나라였다.

손에 쥔 핸드폰에서 차가운 금속의 감촉이 느껴졌다. 그는 버튼을 눌러 비밀 나라의 수장에게 전화를 걸었다.

"말해." 전화기 너머로 낮고 차분한 목소리가 들렸다.

"계획은 순조롭게 진행되고 있다. 중국은 이해관계가 끝나면, 날 배신할 가능성이 커. 당신이 준비한 대로 진행해야 할 것 같다," 그는 침착하게 말했다.

"좋아. 우리는 이미 모든 준비를 마쳤다. 그들이 움직이기 전에 우리가 먼저 선수를 칠 것이다. 네가 나에게 약속한 정보를 제공해주기만 하면 말이지."

영환이는 잠시 침묵했다. "정보는 이미 네가 요구한 대로 준비해 뒀다. 단, 당신이 해야 할 일은 명확하다. 중국이 나를 배신하려는 순간, 그들의 계획을 뒤엎고 내가 원하는 방향으로 끌고 나가야 한다."

전화기 너머의 목소리는 미묘한 웃음을 띠었다. "네가 원하는 복수가 무엇인지 잘 알고 있다. 하지만 잊지 마라. 우리는 단순히 도구가 아니다. 우리도 우리의 목적이 있다."

"물론이지. 우리의 목적이 일치하는 한, 협력은 계속될 거다," 그는 단호하게 대답했다.

전화를 끊고 잠시 눈을 감았다. 머릿속에는 여러 시나리오가 그려졌다. 어둠의 그림자와의 협상은 언제든지 돌발 상황에 대비할 수 있는 강력한 보루였다. 배에서 창밖을 바라보며 중얼거렸다. "모든 것은 철저하게 계획대로 되고 있어. 세계는 힘의 논리로 돌아가게 마련이지."

그는 어둠의 그림자에 보낼 암호 메시지를 작성했다. 손가락이 핸드폰 위에서 빠르게 움직이며 중요한 정보를 입력했다.

> 주의 깊게 들어라. 양자역학의 비밀, 차원문의 정보와 대량의 자금을 제공하겠다. 조건은 단 하나. 중국과의 동맹이 깨질 때, 내가 요구하는 사항을 수락할 것. 이 메시지는 암호화되어 있으니, 오직 너희만이 해독할 수 있다. 응답을 기다리겠다.

그는 메시지를 작성한 후, 최첨단 암호화 기술로 이를 암호화했다. 이 메시지는 아무나 해독할 수 없었다. 오직 어둠의 그림자만이 이를 해독할 수 있는 열쇠를 가지고 있었다. 메시지를 전송한 후, 그는 숨을 내쉬었다. 중국이 언제 배신할지, 그리고 그 순간 어둠의 그림자가 어떻게 움직일지.

며칠 후, 어둠의 그림자로부터 암호화된 응답 메시지가 도착했다. 그는 조심스럽게 메시지를 해독했다. 메시지에는 간단한 답변이 담겨 있었다

> 제안 수락. 준비 완료. 네 신호를 기다리겠다.

메시지를 읽으며 미소를 지었다. 어둠의 그림자와의 협상 덕분에, 그는 언제든지 상황을 뒤집을 수 있는 재산을 쥐게 된 것이다.

그는 창밖을 바라보며 중얼거렸다. "이제 남은 건 시간일 뿐."

배의 한구석 밀폐된 공간에서 라감의 손목과 발목에는 무거운 사슬이 감겨 있었고, 어깨에는 냉기가 스며들어 온몸을 오싹하게 했다. 그녀는 선박 안에서의 빛나는 조명 아래 그저 침묵과 어둠에 휩싸인 채 아무것도 볼 수 없었다.

그때, 영환의 목소리가 들려왔다. "어떻게 지내니, 라감?" 그가 물었다.

라감은 머리를 들고, 그의 목소리를 따라 가느다란 빛을 따라 향했다. "나는…. 나는 어디에 있는 거야?" 그녀는 주저하는 목소리로 말했다.

영환은 잠시 침묵을 지키다가, 깊게 숨을 들이마셨다. "중국으로 가는 길이지. 너를 구하기 위한 마지막 수단이야." 그가 답했다.

라감은 고개를 갸우뚱하며, 흐릿한 빛 아래서 입을 열었다. "나를 구한다는 게 무슨 말이야? 넌 왜 이런 짓을 해?"

영환은 손을 뻗어 라감의 어깨를 쓰다듬었다. "나는 너를 지켜줄 수 있다고 생각해. 우리는 함께 가야 해." 그가 말했다.

라감은 영환의 손길에 "나는 우리가 여기 있는 게 이해가 안 가지만…. 나를 집에 보내주면 안 될까?." 라며 되물었다. 하지만 영환은 그녀에게 손을 향했고, 풍선을 움켜쥐듯이 탐스럽고 풍만한 가슴을 탐하기 시작했다. 그러자 라감은 놀란 표정으로 입을 벌리고, 영환에게 소리쳤다. "그만해! 왜 이러는 거야?!"

그는 씁쓸한 미소를 지으며 그녀의 반응을 지켜보았다. "네게는 이미 나의 손길이 닿았어. 네가 날 버리면, 너의 가족에게 무슨 일을 할지 상상해봐." 그가 말했다.

그녀는 분노와 절망으로 얼굴이 빨개졌다. "너는 정말 못된 사람이야!"

그는 냉정한 표정으로 그녀를 바라보며 말했다. "나는 이 세상의 불완전한 부분을 보여주는 게 좋아. 그래야 네가 이해할 거야."

그녀는 눈물을 흘리며 그를 바라보았다. "날 풀어줘!"

그는 그녀에게 고함을 쳤다. "넌 이미 나의 손에 잡힌 거야! 그리고 이제부터는 내가 네게서 원하는 대로 행동해야 해!" 그리고 그는 그녀의 남편에게 그들의 뜨거운 장면을 생중계했다. 잠시 침묵이 흘렀다. 프랑크는 분노와 절망으로 가득 찬 시선으로 핸드폰 속의 그를 응시했다.

영환은 날갯짓을 취하며 웃음을 터뜨렸다. "너희 가족에게 알려야 해. 네가 내 말을 듣지 않으면, 그들은 네게 무슨 일이 일어날지 알게 될 거야."

그녀는 절망적으로 그를 바라보았다. "나는 도망가고 싶어. 나에게 허락해줘."

영환은 냉소적으로 웃으며, 그녀의 손을 꽉 쥐었다. "내가 원하는 대로 행동하지 않는다면, 앞으로 일어날 일은 더욱 끔찍할 거야."

그녀는 눈물을 흘리며 절망에 빠졌다. "내 가족을 보고 싶어. 그러니 나를 놓아줘!" 하지만 영환은 그녀의 귀에 속삭였다.

"너는 이제부터 내 소유물이야."

그녀가 갇힌 곳은 중국의 깊숙한 산악 지대에 있는 비밀스러운 성, "용문성(龍門城)"이다. 이 성은 세상 어디에도 존재하지 않을 것 같은 비밀스러운 기운을 풍겼다. 구름이 드리운 산봉우리들 사이에서 그 위엄과 웅장함은 압도적이었다. 이곳은 전통적인 중국 건축 양식과 최첨단 기술이 결합된 곳으로, 외부에서는 그저 오래된 요새처럼 보였다. 그러나 그 내부는 상상조차 할 수 없는 비밀과 기술로 가득 찼다.

용문성의 지하 깊숙한 곳, 땅속 1000m 아래에 자리한 감옥은 지구의 중심으로 향하는 듯한 느낌을 주었다. 이곳은 그가 직접 설계한 첨단 감옥이었다. 땅굴처럼 깊게 팬 통로는 미로처럼 얽혀 있었고, 통로를 따라 내려가다 보면 돌벽과 습기가 가득한 어둠과 압박감이 더해졌다. 지하로 내려가는 길은 철저히 봉안된 엘리베이터를 통해서도 접근할 수 있었다. 이 엘리베이터는 지하 1000m 깊이까지 단숨에 내려가며, 주위 벽면에는 두꺼운 콘크리트와 첨단 방어 시스템이 장착되어 있었다. 엘리베이터 문이 열리면, 눈 앞에 펼쳐지는 것은 거대한 규모의 지하 시설이었다. 이곳은 마치 핵실험을 하는 비밀 기지처럼 웅장하고, 압도적인 규모를 자랑했다.

그 지하 감옥의 중심에는 그녀를 둘러싼 투명 벽이 있었다. 이 방은 특별히 강화된 유리로 만들어져 있었으며, 내부의 모든 것이 외부에서 관찰할 수 있게끔 설계되었다. 그 투명 벽은 자유를 갈망하는 그녀의 마음을 더욱 절망시켰다. 그녀가 자유를 눈앞에 두고도 결코 손에 넣을 수 없는 것처럼 말이다. 그야말로 기묘한 곳이었다.

그녀는 마치 아무것도 없는 공간에 갇혀 있는 것처럼 느꼈다. 그 벽을 손으로 만져보면 차가운 유리의 감촉이 느껴졌다. 벽은 눈에 보이지 않지만, 그녀의 자유를 제한하는 실체였다. 내부는 단순했다. 침대와 작은 책상, 그리고 변기 하나와 샤워 시설이 전부였다. 감옥의 천장과 바닥 역시 투명했다. 이로 인해 공간의 경계가 어디인지조차 알 수 없었다. 바닥 아래에는 용문성의 심연이 끝없이 펼쳐졌다. 바닥을 보고 있으면, 허공에 떠 있는 듯한 기분을 느꼈다. 천장 위로는 맑은 하늘과 구름이 보였지만, 그것도 손에 닿을 수 없는 또 다른 세상이었다.

투명 벽 너머로는 첨단 감시 장치들이 촘촘히 배치되었고, 내부의 모든 움직임을 실시간으로 모니터링했다. 주변에는 고도로 훈련된 경비 병력이 최신 무기와 장비로 무장하고 상시 배치되었다. 이들은 감옥 내외부의 모든 접근을 철저히 통제했다. 감옥 전체는 다양한 보안 시스템과 함정들로 보호되었으며, 어떤 침입자도 이곳에 접근하는 것은 불가능에 가까웠다. 이 지하 감옥은 그의 치밀한 계획과 기술력의 결정체였다.

투명한 벽 너머로 그녀가 보인다. 5위안짜리 목걸이를 목에 건 채 알몸으로 무릎을 꿇고 있다. 그는 그 모습을 보며 환희와 행복이 뒤섞인 감정을 느낀다.

그가 말했다. "네가 나에게 준 고통을 이제야 네가 느끼게 됐어, 네가 날 무시하고 상처 준 것에 대한 대가를 치를 때가 온 거야." 그리고 그녀에게 다가가, 손을 뻗어 목걸이를 쥐었다. "5위안짜리 목걸이. 이게 네가 남자들을 상대할 때마다 받는 값어치야." 그의 말은 칼날처럼 날카로웠다.

그녀는 고개를 숙이며 눈물을 흘렸다. "영환, 난 잘못했어요. 하지만 이렇게까지 해야만 했나요?"

그는 한숨을 쉬며 그녀를 바라보았다. "너는 나를 존중하지 않았어. 나를 무시하고, 상처 줬어. 이젠 네가 그 대가를 치를 차례야." 그는 그녀에게 냉정하게 말한 후, 투명 벽 문을 닫고 나갔다. 그는 감옥을 떠나며 그녀의 딸과 남편의 사진을 볼 수 있도록 옆에 놓아두었다. 사진 속의 남편은 병원 침대에 누워 있었다. 그녀는 사진을 보며 절망에 빠지고, 눈물을 흘리며 남편과 딸을 생각했다.

어느 날, 감옥 문이 열리고 그가 들어왔다.

"라감, 너에게 보여줄 것이 있다." 그는 미묘한 표정을 지으며 말했다.

그녀는 그의 말을 듣고 고개를 들었다. 손에 작은 핸드폰 화면이 들려있었다. 화면을 키고 그녀에게 보여줬다. 화면에는 병원의 간호사들이 뛰어다니고 있었다.

"이게 뭐죠?" 그녀가 떨리는 목소리로 물었다.

"잘 봐. 네 남편이다." 그가 답했다.

잠시 뒤 화면 속에 그녀의 남편이 병원 침대에 누워 있었다. 얼굴은 창백하고, 몸에는 여러 개의 의료 장비가 연결되어 있었다. 그는 심한 충격에 빠진 것처럼 보였다.

"안 돼. 제발…." 라감이는 절망에 빠져 중얼거렸다. 그녀는 두려움과 슬픔에 가슴이 찢어지는 것 같았다.

화면 속에서 의료진이 분주하게 움직이며 그의 상태를 검사하고 있었다. 얼마 지나지 않아, 남편의 심장 모니터가 경고음을 내기 시작했다. 의료진은 응급처치를 시도했지만, 그의 상태는 급격히 불안해졌다.

"살려주세요! 제발 살려주세요!" 그녀는 화면을 향해 울부짖었다.

그 순간, 남편의 심장 모니터는 평평한 선을 그리며 멈췄다. 의료진은 조용히 그의 몸을 덮으며, 사망을 선언했다. 그녀는 눈물을 흘리며 화면을 하염없이 바라보았다. 영환이는 차가운 미소를 지으며 화면을 껐다. "이제 너도 알겠지. 나의 고통이 어떤 것인지."

그녀는 그 자리에 주저앉아 울부짖었다. 그녀의 모든 희망이 무너졌지만, 여전히 딸을 생각하며 버텨야 한다고 마음을 다잡았다. 또 다른 어느 날, 감옥의 문이 열렸고, 그 앞에는 병사들이 서 있었다. 그들은 그녀의 이름을 부르며 투명 벽 안으로 들어왔다. 그녀는 이들이 왜 이렇게나 자주 그의 곁을 찾는지 궁금했다. 그리고 그것은 그의 목에 매달린 5위안 목걸이 때문이었다.

"이런 풍경은 중국에서는 찾아볼 수 없는 듯하네."

한 사람이 웃으며 말을 꺼냈다.

"맞아, 무엇을 찾는 건데? 중국에선 이런 맛집을 찾을 수 없어."

그녀는 그들의 장난에 수치심이 차 올랐지만, 이들에겐 그런 감정은 전혀 없는 듯했다.

"여기서 무엇을 하려는 거지? 감옥에서 놀아나고 싶어서야?" 한 명이 덧붙였다.

"감옥의 여왕이라도 되는 건가?" 다른 남자가 비웃으며 말했다. 그리고 그녀 쪽으로 다가가며 말했다. "이 여자는 어디서 왔는지 모르겠지만, 꽤 흥미롭네."

그녀는 그들의 시선과 조롱을 피하려 고개를 돌렸다. 그러자 남자들은 그녀의 몸을 탐하는 듯한 눈빛을 쏘아대며, 거친 농담을 던졌다. "너무 부끄러워할 필요 없어. 어차피 여기선 아무도 신경 쓰지 않아." 한 남자가 그녀의 어깨를 툭 치며 비웃었다.

"우리와 함께 조금 즐기지그래?" 또 다른 남자가 냉소적으로 말하며 웃음을 터뜨렸다.

그녀는 저항할 수 없었고, 고통스럽게 그들의 손길을 이겨내려 했다. 그들은 젖가슴을 탐하기 위해 옷을 벗겨내고, 몸을 가만히 살펴보았다. 절망 속에서 이들의 모욕적인 시선을 받아들여야만 했다. 이어서 그들은 "이 여자가 얼마나 강한지 보자고." 냉소적으로 말했다. 그녀는 참을 수 없는 수치심과 고통에 몸을 떨었다. 그들은 그녀를 모욕하며, 몸을 거칠게 다루었다.

그들이 떠나자 그녀의 주위에는 치즈 냄새와 고약한 냄새가 흘렀다. 무심코 코를 찡그리고 느끼는 지독한 냄새는 그녀의 가슴을 조여왔다. 감옥에서의 그녀의 일상은 인간의 존엄성을 모두 잊은 듯 보였다. 감옥 안의 더럽혀진 투명 벽에 비친 자신의 모습을 바라보았다. 몸은 남자들의 정액과 타액으로 물든 상처가 즐비했다. 절망이 벽을 가득 채우며, 무너져가는 심신을 견딜 수 없었다. 모든 것을 포기하고 싶었다. 목숨마저도. 그러나 그 순간, 자신의 가장 사랑하는 가족을 다시 한번 느끼고 싶었다. 그리고 그들을 위해서라면 어떤 어려움이라도 이겨내겠다고 결심했다. 사진을 바라보며 깊게 숨을 들이마시고, 새로운 희망을 품은 채 삶의 고난을 이겨내기로 마음먹는다. '절대로 포기하지 않아! 나의 딸을 위해.'

그녀는 희망의 빛을 찾아야 했다. 투명 벽 안의 먼지와 공기를 이용하여 작품을 만들기 시작했다. 손으로 먼지를 모아 얼굴에 직선을 만들고, 손가락으로 공기를 흐르게 하여 곡선을 그려냈다. 하지만 머리카락이 엉킨 채 그녀의 피부는 여기저기 상처투성이였고, 몸에 묻은 정액이 점점 말라가며 불쾌한 냄새를 풍겼다. 그리고 어둠이 침투한 지하실은 희미한 불빛으로 비쳐, 어둠과 고독의 압박감이 실내를 채웠다. 지하실의 묵직한 투명 벽 속 그림자는 자유로움을 상징하는 희망의 빛인지, 어두움인지 모른 채.

뒤이어 그녀는 몸을 씻으러 쇠사슬에 묶인 채 샤워를 했다. 차가운 물이 그녀의 몸을 타고 흘러내리면서, 얼어붙은 듯한 느낌을 받았다. 그녀는 그저 그의 권력 앞에 무릎을 꿇고 있는 노예에 불과했다.

한편, 영환은 볼일을 보고 돌아와, 알몸인 그녀를 지켜보며 자유와 기쁨의 음악에 몸을 맡기며 노래를 불렀다. 스피커에서 흘러나오는 곡은 퀸의 "Don't Stop Me Now"였다. 전주가 흐르기 시작하자, 그의 발끝에서부터 몸 전체로 에너지가 전해졌다. 경쾌한 피아노 선율이 그의 발걸음을 가볍게 만들었고, 기타 리프가 시작되자마자 그는 양팔을 크게 벌리며 몸을 흔들기 시작했다.

노래의 가사가 "Tonight I'm gonna have myself a real good time, I feel alive"라고 울려 퍼지자, 그의 입가에도 미소가 번졌다. 눈은 반짝였고, 온몸은 마치 음악의 흐름에 맞춰 자유롭게 움직였다. 드럼 비트가 그의 심장 박동과 하나가 되어, 마치 무대 위의 화려한 배우처럼 자신감 넘치는 동작을 이어갔다.

"Don't stop me now, I'm having such a good time, I'm having a ball"이라는 부분이 나오자, 두 팔을 하늘로 높이 들어 올리고, 온몸을 회전시키며 완전히 몰입했다. 움직임은 경쾌하고 활기차며, 얼굴은 순수한 기쁨으로 가득 차 있었다. 마치 아무도 그를 멈출 수 없다는 듯, 음악의 리듬에 맞춰 끝없이 춤을 추었다. 세상 모든 것을 손에 넣은 사람처럼 보였다. 이 장면은 투명 벽 너머 그녀에게 완벽하게 전달되었다.

둘은 같은 공간에서 다른 세계 속에 있었다.

춤과 노랫소리는 그녀의 귀에 섬뜩한 칼날로 날아들었다. 자유와 행복의 노래가 아니라, 고통과 절망이 떠오르는 뾰족한 가시 같은 노랫소리가 이어갔다.

그는 노래를 끄고 춤을 멈췄다. 그리고 그녀의 고통에 즐거워하면서, 그녀에게 다가가 귀에 속삭였다.

"어떻게 사느냐, 라감?" 그는 냉소적인 미소를 띠며 말했다.

그녀는 조용히 머리를 저으며 대답했다. "관심 없어."

그의 손이 움직였다. 샤워를 마친 그녀의 몸을 둘러싸고 있는 얇은 천을 걷어내고는 호기심에 찬 눈으로 밑을 살펴보았다.

"와, 이건 정말 대단하군. 이런 것도 몸에 갖고 있으니 참 좋겠군." 농담답게 말했다.

그녀는 분노에 찬 눈길로 그를 바라보았지만, 이미 삶은 저주받은 듯이 비참한 상태였다. 입술을 꾹 다물고 눈을 감았다. 팔을 움직이자 쇠사슬 소리가 귀를 찢어갈 듯이 울렸다. 그는 자신의 손을 그녀의 성기에 문질러보았다. 이 모든 일이 무언가를 정복했다는 느낌을 주었다. 자신의 선택으로 그녀의 모든 행동을 통제할 수 있다는 사실에 기뻤다. 그리고는 곧바로, 투명 벽 앞에서 스케치북을 꺼내어 그녀의 모습을 그리기 시작했다. 손놀림은 섬세하고 정교했다. 그녀의 몸을 캔버스 위에 담아내면서 내면의 평화와 만족감을 느꼈다. 마치 고흐가 '해바라기' 시리즈를 그리며 느꼈던 감정과 비슷했다.

고흐의 '해바라기' 시리즈는 자연 속에서 발견한 아름다움과 순수함을 담고 있다. 해바라기 하나하나는 그의 눈을 통해 생명을 얻었고, 고흐는 그 과정을 느끼며 행복했다. 해바라기의 밝고 따뜻한 색감은 그가 찾은 내면의 평화를 상징했다. 그도 마찬가지였다. 그녀의 알몸을 보며 자신의 복수를 완성한 듯한 쾌락을 느꼈다. 해바라기처럼 밝고 강렬했다.

해바라기는 항상 태양을 향해 고개를 돌린다. 이는 고흐에게 있어 희망과 끈기의 상징이었다. 그림 속에서 그녀는 해바라기처럼 밝게 빛나고 있었다.

고흐의 '해바라기'가 자연의 아름다움과 순수함을 상징했다면, 해바라기의 밝은 노란색이 고흐에게 내면의 평화를 주었다면, 그는 또 다른 해바라기를 그리며 평화를 느꼈다, 마지막 손길을 더했다. 그리고 그녀에게 대화를 건넸다.

영환: "너의 마음을 편하게 하려는 거야."

그녀는 겁을 먹어 억지로 웃는 것 같은 표정을 지었다. "이게 마음을 편하게 하는 거라고. 웃기지 마! 말도 안 되는 소리야!"

영환: "그럴지도 모르지. 너와 나의 사이, 그것은 서로를 이해하는 것에서 시작되니까."

그녀는 눈을 치켜세웠다. "나를 이해하려는 거야? 내가 무엇을 원하는지?“

그는 고개를 끄덕였다. "그렇지. 너는 이곳에 어울리지 않아. 이곳에 갇혀 있는 네가 원하는 건 자유고, 나를 배반하지 않는 것이지.“

그녀는 눈물을 참으며 말했다. "나는 자유가 필요해. 너를 믿지 않는다는 거 알아?“

그는 조용히 고개를 끄덕였다. "그래. 하지만, 네가 내게 의존해야 한다고 믿어. 그래야 내가 네게 자유를 줄 거야."

그녀는 그의 말을 듣고 헉 소리를 내며 고개를 돌렸다.

영환: "네가 어떤 선택을 하든, 나는 네 곁에 있을 거야. 너를 위해 모든 것을 할 수 있어."

그녀는 그의 시선을 피했다. "너는 나를 가두고, 괴롭히고, 이렇게까지 하는데, 이게 나를 위한 거라고?"

영환은 부드럽게 미소를 지었다. "내가 너를 이해한다면, 네가 원하는 대로 모든 것을 해줄 수 있을 거야. 너를 풀어주고, 자유롭게 해줄게. 이것이 내 약속이야.“

"그럼 나의 자유의 지도자가 되어줘. 우리 함께 떠나자. 네가 원하는 대로 자유롭게." 그녀는 그의 이해할 수 없는 말을 깊이 생각해봤으나, 알 수 없었다.

한편, 대한민국은 외교로 문제를 해결하기 위해 중국 지도부와 협상을 이어갔다. 그 들의 만남은 서울 외교부 청사에서 개최됐다. 외교부 청사는 웅장한 건축물로, 고풍스러운 기둥과 대리석 바닥이 엄숙한 분위기를 자아내고 있었다. 청사 입구에는 경호원들이 배치되어 있었고, 외부의 시선을 차단하기 위해 철저한 보안 조치가 취해져 있었다. 협상 회의실은 넓고 밝았다. 중앙에는 커다란 원형 테이블이 놓여 있었고, 그 위에는 양국의 국기가 나란히 꽂혀 있었다. 벽에는 고풍스러운 그림들이 걸려 있고, 창문 너머로는 푸른 정원이 보였다. 그리고 그 너머로는 서울의 번화 거리가 내려다보였다.

양국의 대표단이 회의실에 모였다. 대한민국 측에서는 외교부 장관을 비롯한 고위 관료들이 자리하고 있었고, 중국 측에서는 외교부장과 여러 고위 인사들이 참석했다. 대한민국 외교부 장관은 회의의 시작을 알리며 단호한 목소리로 말을 꺼냈다. "오늘 우리는 라감 씨의 구출을 위해 협상 테이블에 앉았습니다. 우리의 목표는 그녀를 무사히 되찾아오는 것입니다."

중국 외교부장은 고개를 끄덕이며 답했다. "우리도 이해하고 있습니다. 그러나 협상에는 서로의 이익이 필요합니다. 우리가 원하는 것은 경제적 협력과 안정적인 무역 관계입니다."

한국 외교부 장관은 잠시 생각에 잠겼다가 다시 입을 열었다. "우리 정부는 막대한 경제적 손실을 감수하고서라도 라감 씨를 구출하기 위해 최선을 다할 것입니다. 따라서 중국 측의 요구를 최대한 수용할 준비가 되어 있습니다."

중국 외교부장은 미소를 지으며 말했다. "그렇다면 우리의 요구를 들어주시기 바랍니다. 첫째, 우리는 대한민국의 경제적 지원을 원합니다. 둘째, 양국 간의 무역 협정을 재정비하여 우리에게 유리한 조건을 마련해 주십시오."

중국은 외교 협상의 내면에는 한미일 공조를 박살 내고, 남중국해에서의 무력 충돌이 일어날 경우, 대한민국이 관여하지 않는다는 조건을 내비쳤다. 마지막으로, 국내로의 저가 수출을 위한 혜택을 요구했다.

한국 외교부 장관은 잠시 침묵을 지켰다. 이내 고개를 끄덕이며 답했다. "알겠습니다. 우리는 경제적 지원과 무역 협정을 통해 상호 이익을 도모할 것입니다. 다만, 라감 씨의 안전한 귀환이 최우선입니다."

영환은 당시 중국과 한국의 협상 장면을 스파이를 잠입시켜 지켜보고 있었다. 그는 두 정부의 움직임을 주시하고, 언제든지 대비하려고 했다. 그리고 중국과 대한민국의 협상이 원만한 타결로 끝날 것을 예측했다. 한국 국민은 그녀의 구출을 위해 강한 동정심을 표출할 것이며, 이에 대한민국 정부가 경제적인 손실을 감수하더라도 그녀를 구출하려는 노력을 기울일 것이 분명했기 때문이다.

대한민국 정부와 중국 지도부의 협상이 타결된 직후, 정부는 즉각 그녀의 구출 작전에 돌입했다. 외교부 청사 앞에서 기자회견이 열렸고, 수많은 국민이 TV와 인터넷 생중계로 상황을 지켜봤다. 외교부 장관은 담담한 표정으로 마이크를 잡고 결과를 알렸다.

"국민 여러분, 우리는 중국과의 협상을 통해 라감 씨의 안전한 귀환을 약속받았습니다. 이제 그녀는 곧 우리 곁으로 돌아올 것입니다."

기자회견장에서는 환호성과 박수가 터져 나왔다. 국민은 눈물을 흘리며 기쁨을 나눴고, 정부는 마치 영웅처럼 찬사를 받았다. 그러나 이 모든 것 뒤에는 표면적으로 드러나지 않는 복잡한 정치적 계산과 타산이 숨어 있었다.

내부 회의실에서는 국회의원들과 고위 관료들이 모여 있었다. 회의실은 담배 연기로 가득 찼고, 창문 너머로는 어두운 밤하늘이 펼쳐져 있었다. 그들은 라감이 구출을 둘러싼 정치적 이득을 따지며 치열한 논의를 벌이고 있었다.

"이번 협상을 통해 우리는 국민의 신뢰를 회복했습니다," 한 의원이 말했다. "하지만 경제적 손실이 막대합니다. 어떻게든 이를 만회할 방안을 찾아야 합니다."

다른 의원이 고개를 끄덕이며 동의했다. "맞습니다. 우리는 국민의 지지를 받기 위해 이번 협상을 이용했지만, 그 대가로 중국에 많은 것을 양보했습니다. 이제부터는 우리도 그 대가를 치러야 합니다."

정부의 무능함과 인간의 끝없는 욕심은 이곳에서 더욱 뚜렷하게 드러났다. 그들은 그녀의 생명을 구실로 자신들의 정치적 입지를 다지고 있었고, 국민의 감정조차도 정치적 도구로 이용했다.

며칠 후, 그녀의 구출 작전이 시작되자, 전국은 축제 분위기로 넘쳤다. 신문과 방송은 연일 그녀의 귀환 예정을 대서특필했고, 사람들은 거리로 나와 환호하며 기쁨을 나눴다.

"우리는 승리했다!" 한 시민이 외치며 태극기를 흔들었다. "대한민국 만세!" 하지만 그 환호성 속에는 이미 경제가 조금씩 무너지고 있다는 사실을 아는 사람도 있었다. 식료품 가격이 오르고, 실업률이 증가하며, 기업들이 줄줄이 도산하는 상황이 이어졌다. 정부는 이를 감추기 위해 다양한 정책을 내놓았지만, 문제는 쉽게 해결되지 않았다.

거리의 한구석에서 두 명의 중년 남성이 대화를 나누고 있었다.
"이게 정말 잘한 일일까?" 한 남성이 묻자, 다른 남성이 고개를 끄덕였다.

"글쎄, 그녀를 구한 건 좋지만, 그 대가로 경제가 엉망이 됐어. 정부는 이를 어떻게든 해결해야 할 텐데."

이렇듯 국민은 환호와 쾌거 속에서도 불안과 의심을 품었다. 그들은 그녀의 귀환을 기뻐하면서도, 그로 인해 닥쳐올 경제적 위기에 대해서도 염려했다. 어쨌든, 당장 눈앞의 기쁨에 취해 이러한 불안은 잠시 묻혀버린 듯했다.

일주일이 지나고, 대한민국 정부의 비밀 요원들은 그녀가 갇혀 있는 감옥으로 잠입했다. 요원들이 미로와 같은 감옥에서 그녀를 구출하기 위해 접근했을 때, 그는 감옥 내부의 모든 카메라로 그들의 움직임을 지켜보고 있었다.

“작전 개시. 그녀를 안전하게 빼내야 한다,” 요원 중 한 명이 무전을 통해 명령을 내렸다.

그 순간, 그의 목소리가 감옥 안에 울려 퍼졌다. “너희들, 내가 너희의 움직임을 모를 거로 생각했나?”

요원들은 순간 당황했지만, 곧 침착하게 다음 단계를 준비했다. 감옥의 전자 시스템을 조작해 투명 벽의 문을 열고, 요원들이 그녀를 데리고 나갔다. 그리고 탈출하는 도중, 그들이 타고 온 차량이 폭발했다. “무슨 일이야?” 요원 중 한 명이 외쳤다.

“이건 모두 계획된 거야,” 그의 목소리가 다시 울렸다. “너희가 그녀를 구출하는 것처럼 보이게 만들려고 한 거지. 사실, 내가 너희를 속인 거야.”

대한민국 비밀 요원의 작전 계획을 미리 파악한 그는 여러 겹의 함정을 세심하게 설계했었다. 그는 대한민국 내부에 광범위하게 구축한 정보망을 통해 정부의 작전 계획뿐만 아니라, 작전에 투입될

인원, 장비, 심지어 작전 시간까지도 미리 알고 있었다. 그는 이러한 정보를 바탕으로 세밀한 작전 계획을 수립했다. 정보망은 단순한 스파이 네트워크만 있는 것이 아니었다. 전 세계에 퍼져 있는 그의 영향력을 중심으로 한 복잡한 네트워크였다. 이 다양한 경로로 정보를 수집하고, 분석하며, 구출 작전이 실패로 돌아가게끔 설계했다.

감옥에는 의도적으로 마련된 탈출 경로가 있었다. 그는 요원들이 그 길로 그녀를 구출하러 올 것이라고 굳게 믿었다. 그 경로는 감옥 외곽으로 연결되어 있어, 비밀 요원들이 신속하게 접근할 수 있도록 설계되었다. 이곳을 제외한 탈출 경로는 여러 개의 우회로와 미로처럼 얽혀 있었다. 그는 비밀 요원들이 이 경로를 이용하는 순간을 포착해, 사설 군대를 배치해 두었다. 이 군대는 최신 무기와 장비로 무장한 정예 부대였다. 그들은 유도된 탈출 경로를 따라 나올 때까지 숨어서 대기하고 있었고, 그들이 탈출하는 순간 일제히 공격했다.

자신이 만든 함정에 걸려들도록 허위 정보를 흘리기도 했다. 일부러 감옥의 이 통로가 보안 시스템이 취약하다는 정보를 흘려, 작전을 실행하도록 유도했다. 마지막으로, 비밀 요원들의 심리적 압박을 극대화하기 위해 그녀가 곧 처형될 것이라는 정보를 흘려 서둘러 작전을 강행하도록 조종했다. 이로써 비밀 요원들은 미처 대응할 시간조차 없이 포위망에 갇혔다. 비밀 요원들은 치열하게 싸웠지만,

결국 포위망을 뚫지 못했고, 그녀는 다시 감옥으로 끌려갔고, 대한민국 정부는 그의 함정 속에 완전히 패배했다. 투명한 벽 너머로는 그녀 부모의 울부짖는 소리가 들리며….

“이 모든 것은 그의 계획이었어,” 그녀는 속삭였다. “그는 나를 완전히 파괴하려는 거야.”

과거 그림자와의 협상

몇 주 후, 그녀는 아이를 밴 채 북한으로 송치되었다. 어두운 밤. 깊은 잠에 빠져 있었다. 갑작스러운 소음에 눈을 뜬 그녀는 낯선 남자들이 자신의 투명 벽에 들어와 있는 것을 발견했다. 두려움에 몸을 떨며 물었다. "당신들은 누구죠? 왜 나를 데리러 온 거죠?"

그들 중 한 명이 조용히 말했다. "우리는 당신을 안전하게 데려가라는 명령을 받았습니다. 저희를 따라오세요."

그녀는 혼란스러운 마음을 억누르며 따라나섰다. 복잡한 미로를 지나 1000m 위로 올라와 비밀리에 준비된 차량에 올랐다. 차량은 빠른 속도로 달렸다. 북한과 중국의 국경을 넘어 비밀리에 마련된 헬리콥터 착륙장으로 향했다. 헬리콥터가 도착하자마자 그녀를 태우고 빠른 속도로 이륙하여 밤하늘을 날아갔다. 그녀는 창밖으로 펼쳐진 어둠 속에서 희미하게 빛나는 별들을 바라보며, 자신이 어디로 향하는지 알 수 없었다. 헬리콥터는 평양의 한 비밀 기지에 도착했다. 그녀는 기지 안으로 안내되었다. 향하는 길은 어두웠으며, 불안과 공포를 느꼈다. 그 또 다른 계획이 그녀를 이 끔찍한 상황으로 몰아넣었다. 북한의 어느 감옥에 도착한 그녀는 비참한 생활을 시작했다. 임신한 몸으로 매일같이 고된 노동에 시달리며, 힘든 일들을 해내야 했다. 몸은 점점 지쳤고, 정신은 무너져 내렸다.

노동이 끝나고 차가운 철창 안에서 몸을 웅크렸다. 창밖의 바람이 불 때마다 낡은 창틀이 삐걱거리는 소리와 함께 서늘한 공기가 스며들었다.

어느새 대한민국은 그녀를 구출하겠다는 희망의 불씨가 꺼져가고 있었다.

당시는 그녀를 구출해야 한다는 여론이 들끓었다. 신문과 방송에서는 연일 그녀의 이야기로 도배되었고, 국민은 한마음으로 그녀의 귀환을 외쳤다. 하지만 시간이 지나면서 상황은 급격히 변했다. 중국과의 협상에서 대한민국 정부가 결국 속았다는 소식이 전해지자 국민은 분노했다. 거리에 나온 사람들은 중국 대사관 앞에서 시위를 벌였고, 정부에 대한 불신과 분노가 하늘을 찔렀다. 심지어 경제적 어려움도 닥쳐오자, 국민의 관심은 점차 다른 곳으로 향했다. 그녀의 이야기는 뉴스에서 점점 사라졌고, 그녀의 고통도 사람들 머릿속에서 잊혀갔다. 사람들은 자신의 생계와 바쁜 일상에 몰두하며 그녀의 안타까움을 돌아보지 않았다.

그녀는 눈을 감고 깊은 한숨을 내쉬었다. 철창 너머로 들려오는 북한 병사들의 발소리가 점점 가까워졌다. 그 소리를 들으며 한국에서 자신이 잊혀가고 있음을 느꼈다. 마음속에는 배신감과 속상함이 몰려왔다.

"사람들은 결국 자신들의 이익에만 관심이 있는 거야." 그녀는 절규하며 말했다. "나의 고통은 그들에게는 그저 잠시 스쳐 가는 바람일 뿐이었지."

철창 안에서 몸을 일으켰다. 창밖으로 보이는 희미한 달빛이 그녀의 얼굴을 비췄다. 그녀는 운명을 받아들이기로 했다. 아무리 잔인한 현실일지라도, 이를 통해 인간의 본성을 절실히 깨달았다.

"나는 그들에게 잊혔지만, 나는 잊지 않을 거야. 이 경험은 나를 더 강하게 만들 거야." '어떤 상황에서도 나를 잃지 않고, 앞으로 나아가야 한다.'

그녀의 눈에 비친 북한의 풍경은 여전히 캄캄하고 무서웠지만, 마음속에는 작은 희망의 빛이 살아났다. 이곳에서도 살아남아, 언젠가 다시 자유를 찾을 수 있을 것이라는 희망을 잃지 않았다. 임신한 아기를 향한 모성애는 그녀를 지탱하는 유일한 힘이 되었다. 몇 주가 지나고 독방 빈 곳에서 몸부림치며 새 생명이 꿈틀거렸다. 그녀의 숨소리가 거칠어졌다.

아이를 낳는 건 어째서 이렇게나 고통스러운 일인가요?" 그녀는 외침과 함께 흐느꼈다. 그 속에서 작은 몸집이 미끄러져 나와, 첫 숨을 쉬며 울음을 크게 터뜨렸다. 이 순간, 공허한 공간에 신비한 소리가 울려 퍼져, 감옥 밖의 호수 물결마저 떨렸다. 죽을 것 같은 고통과 안도의 감정이 교차했다. 주위에는 아무도 없었다. 유일한 동행자는 새 생명이었다. 그녀는 어색한 웃음을 짓고 아이를 품에 안았다. 잠시나마 과거의 모든 고통은 잠시 잊혔고, 사랑과 감사로 휩싸였다. 아이를 향해 부드럽게 속삭였다.

"네가 온 건 이 세상에 빛을 가져다줄 우리의 소망이야. 우리가 함께 이 고통을 이겨내리라."

이 아기는 그녀에게 희망이자, 북한의 어둠과 남한의 무관심에 맞서 싸우는 책임감이 깊게 물들었다. 그곳의 열악한 환경과 끊임없는 고된 노동 속에서도 그녀는 강인한 정신으로 아들을 지켰다.

중국의 이중적 태도

대한민국 정부는 라감이 구출 작전 실패로 중국에 강력히 항의했다. 그러나 현실은 냉혹했다. 국제 정치의 힘의 논리가 다시 재조명되었고, 그들의 항의는 힘을 발휘하지 못했다. 중국 정부는 무심한 태도로 일관했다. 대한민국 외교부 장관은 당황한 표정을 지으며 말했다.

"우리의 주목적은 라감 씨의 안전한 귀환이었습니다. 하지만 중국 정부가 협조하지 않아 실패했습니다. 책임을 져야 합니다."

중국 대표는 고개를 저으며 단호하게 말했다. "우리는 영환 씨 체포를 우선으로 했을 뿐입니다. 입장 차가 해소되지 않는다면, 어떤 문제도 진전될 수 없습니다."

그는 두 나라 정부 감시망을 벗어나지 못했다. 행적은 결국 당국의 눈에 띄었고, 국제적 협력 속에서 한국으로 송치되었다. 그는 미소를 감추며 감옥에 갇혔다. 그가 대한민국 감옥에 갇힌다는 것은 그녀에게 심적 안정감을 심어줄 좋은 기회였다. 그녀는 그가 감옥에 있다는 소식을 듣고 잠시나마 안도할 것이기 때문이다. 그는 감옥의 차가운 벽을 등지고 앉아, 자신의 배를 은밀하게 만지작거렸다. "라감, 작은 쇼일 뿐이야," 그는 혼잣말로 속삭였다. "너에게 더 큰 좌절감을 주기 위해서."

감옥으로부터 탈출은 너무나 쉬웠다. 액체를 다시 조합한다면, 불완전한 시계로 어디든 갈 수 있었다. 이미 몇 번이고 그 가능성을 시험해봤고, 그 어느 때보다도 자신이 넘쳤다. 감옥의 문이 아무리 두껍고 철저히 잠겨 있어도, 언제든 그 문을 열고 나갈 수 있었다.

"너를 무너뜨리기 위해서라면, 이 정도 쇼는 기꺼이 해줄 수 있지," 영환은 미소 지으며 벽에 기대어 눈을 감았다. 그의 머릿속에는 이미 다음 단계의 계획이 착착 진행되고 있었다. 완벽한 시계가 머릿속에서 하나의 그림으로 완성되고 있었다.

4-2 차원문

영환은 중국의 협조로 대한민국에 체포되기 직전, 차원문의 비밀을 담고 있는 손목시계를 분해했다. 그는 시계 내부의 복잡한 회로와 부품을 하나씩 분해하여 벌컥벌컥 마시기 시작했다. 그것은 오랜 연구 끝에 개발한 특수한 나노물질로, 그의 몸속에서 꺼내 언제든지 시계로 재조립할 수 있도록 만들었다. 이 액체 물질은 단순히 소화기관을 통해 흡수되지 않았고, 대장에서 특수한 반응을 통해, 유지가 가능하도록 구성되었다. 하지만 대한민국 AI 취조실에서 그의 비밀은 들통나고 말았다. AI는 그의 몸속에서 발생하는 미세한 신호를 감지하고, 차원문 존재를 숨긴 그를 밝혀냈다. 이 정보를 접한 정부는 큰 충격을 받았다. 차원문을 이용한 순간이동 기술이 존재한다는 사실을 알게 된 그들은 즉시 그를 활용하고자 했다. 대한민국은 패권국으로 도약할 기회를 놓칠 수 없었다.

그는 비밀리에 검찰 수사실에 끌려갔다. 옆을 둘러보니 검사들과 요원들의 눈빛이 그를 찔러보듯이 쏘아져 왔다.
"우리는 당신의 능력이 필요합니다." 국정원이 말했다. "대한민국을 초강대국으로 만들기 위해 당신의 두뇌가 필요합니다. 우리와 함께 일하십시오. 그렇지 않으면 당신을 죽일 수 있습니다."

"영환 씨, 우리가 알고 있는 것보다 훨씬 많은 걸 가지고 있는군요." 검사가 말했다. "미국에서의 비밀 연구소, 차원문 개발…. 그 모든 것."

정부는 영환에게 조건을 제시했다. "우리는 너에게 자유와 안전을 보장할 것이다. 대신, 순간이동이 가능한 완벽한 시계를 제작해 달라."
그는 눈을 감고 가만히 생각에 잠겼다. 뒤이어 미소를 지으며 눈을 떴다. "제가 이런 기회를 포기할 수는 없습니다. 제 능력으로 대한민국을 발전시키겠습니다." '이건 내 불완전한 시계를 완벽한 시계로 만들 좋은 기회다', "저도 조건이 있습니다. 예전에 저와 같이 일했던 박사님들을 불러 주십시오."

정부는 만족한 표정으로 고개를 끄덕였다.

그는 국민 몰래 대한민국 정부의 연구 시설로 옮겨졌고, 무기징역 대신 프로젝트에 참여할 수 있었다. 그가 온다는 소식에 미국 비밀 연구소에서 일했던 박사들은 대한민국 정부 연구소로 이동했다. 박사들은 여태까지 왜 불완전한 시계를 복제하고 발전할 수 없었는지 논의했다.

"우리가 가장 완벽한 시계를 만들려고 했지만, 시간은 점점 불규칙해졌습니다," 한 박사가 말했다.

"맞아요," 다른 박사가 동의했다. "원본 설계도만으로는 단지 추측밖에 할 수 없었어요. 충분하지 않았죠."

"그가 없는 동안 우리의 시간은 멈춰버린 듯했어요," 또 다른 박사가 덧붙였다. "모든 노력이 무의미하게 느껴졌죠."

리처드 박사는 깊은 한숨을 쉬며 말했다. "이제 영환이 돌아왔으니, 다시 시작합시다."

그 순간, 문이 열리며 그가 들어왔다. 박사들은 일제히 그를 바라보며 환한 미소를 지었다. 미국의 한 비밀 연구소에서는 차원문 기술에 관한 연구가 오랫동안 중단되어 있었다. 연구원들은 그가 만든 시계의 물질을 재구현하는 데 실패했고, 기술을 복제하거나 발전시키는 것도 불가능했다. 그리고 오늘, 그들은 다시 한번 그와 마주하게 되었다.

회의실은 첨단 장비로 공간을 메웠고, 중간에 놓인 커다란 테이블 주위에는 비밀 연구소에서 같이 일했던 박사들이 앉아 있었다.

박사1: (긴장된 얼굴로) "오랜만입니다. 시계의 물질을 재구현하는 데 계속 실패하고 있습니다. 원본 시계 없이는 이 기술을 더 발전시키는 것이 불가능하더군요."

영환: (미소를 지으며) "그 물질은 단순한 화학적 조합이 아닙니다. 그 안에는 제가 특별히 설계한 나노 구조가 포함되어 있습니다. 그걸 모르면 아무리 뛰어난 과학자라도 복제는 불가능할 겁니다."

박사2: (단호하게) " 우리는 그동안 다양한 시도를 해왔지만, 그 물질의 본질에 접근조차 하지 못했습니다. 이번에는 꼭 성공해야 합니다…."

영환: (눈빛이 날카로워지며) "그러므로 제 감독하에 진행해야 합니다. 제가 모든 과정을 통제할 수 있어야만, 이 물질을 복제할 수 있고, 더 나아가 완벽한 시계로 만들 수 있습니다. 다른 방법은 없습니다."

국정원: (고심 끝에) "좋습니다. 당신의 조건을 받아들이겠습니다. 우리가 원하던 기술 발전을 이루기 위해서는 당신의 도움이 절대적으로 필요하니까요."

영환: (따뜻한 미소를 지으며) "앗. 그리고 그동안 차원문 기술의 비밀을 지켜주셔서 감사드립니다. 여러분 덕분에 외부로 유출되지 않았습니다."

연구소 박사1: (겸손한 태도로) "우리가 할 수 있는 최선을 다했을 뿐입니다. 이 기술의 중요성을 잘 알고 있었기 때문에, 비밀을 유지하는 것이 우리에게도 중요했습니다."

영환: (진지한 표정으로) "여러분의 신뢰에 감사드립니다. 이 기술은 인류의 미래를 바꿀 힘을 가지고 있습니다."

영환: (미소를 지으며) "이제부터 제 지시를 따르시면 됩니다. 그동안의 연구 자료를 모두 공유해 주세요. 어느 부분에서 잘못되었는지 다 같이 확인해 보겠습니다."

회의실의 공기는 한층 부드러워졌다. 연구원들은 영환의 신뢰와 감사의 말을 듣고 마음이 놓였다. 그들은 이제 다시 한번 힘을 모아, 차원문을 다시 열 준비를 하기로 했다.

여러 달 동안 정부 연구소 회의실에서는 침묵만 흘렀다.

완벽한 시계를 만들다

수많은 실패와 도전 끝에, 영환과 팀은 드디어 시계를 착용한 사람뿐만 아니라 다른 물질도 이동시키는 데 성공했다. 마지막으로 그들은 다른 사람도 이동시킬 수 있도록 차원문을 보강하는 단계에 이르렀다.

″우리는 드디어 여기까지 왔습니다. 이제 사람을 이동시킬 차례입니다.″ 영환은 흥분된 목소리로 말했다.

″하지만 여전히 많은 도전이 남아 있습니다. 우리는 항상 자신이 틀릴 수 있음을 염두에 두어야 합니다.″ 제임스가 신중히 말했다.

연구소의 깊은 실험실. 그는 조용히 시계의 마지막 단계를 서둘렀다. 그의 손은 정교하게 움직이며, 나노 물질로 된 작은 부품들을 조립했다. 마침내, 그는 세상의 모든 비밀을 움켜쥔 듯, 시계를 자신 있게 번쩍 들어 올렸다

영환: (감격하며) ″드디어…. 완벽한 시계다.“

시계가 그의 손에서 반짝이며 빛을 발했다. 그 순간, 실험실 전체가 환한 빛으로 물들었다. 그는 시계를 손목에 차고, 조심스럽게 차원문을 열었다. 시계가 웅장한 소리를 내며 작동하자, 눈 부신 빛이 실험실을 가득 채웠다. 마치 우주의 신비를 담은 듯한 빛이 실험실 안을 휘감았다.

영환: (흥분하며) "성공했다…. 이제 누구든 나와 함께 어디든 갈 수 있다."

리처드 박사: (놀라며) "이게 가능하다니, 믿을 수 없군요."

영환: (미소 지으며) "우리가 해냈습니다, 박사님. 이제 이 기술로 무엇이든 할 수 있습니다."

연구원들과 물리학 박사들이 방에 모여들었다. 그들은 영환의 성공을 축하하면서도, 마음 한쪽 씁쓸함을 느꼈다.

연구소 박사1: (작게) "이게 정말 옳은 일인가…."

연구소 박사2: (고개를 끄덕이며) "과학의 발전은 기쁨과 두려움을 함께 가져오는 법이지."

그들은 인류의 새로운 도약을 축하하면서도, 그 기술이 가져올 미래에 대한 두려움을 정확히 알지 못했다. 박사들은 성공의 뒷면에 숨겨진 무게와 앞으로 닥칠 위험을 조금 감지했을 뿐이다.

연구소의 회의실이 다시 고요해졌다. 완벽한 시계는 실험실 한가운데 봉인되었다.

국정원: (환하게 웃으며) "이 시계는 인류의 미래를 바꿀 중요한 도구가 될 것입니다. 함께 이 기술을 활용해 더 나은 세상을 만들어봅시다. 저는 상부에 보고하러 잠시 자리를 비우겠습니다!"

영환: (살짝 미소를 지으며) "네, 여러분 덕분에 여기까지 올 수 있었습니다. 정말 감사합니다. 화장실 좀 다녀와야겠습니다."

그는 어두운 복도로 나섰다. 그는 자신이 만든 완벽한 시계를 박사들 몰래 봉인된 캡슐에서 다시 착용하고, 복도 한구석에 서서 시계를 바라보았다. 시계는 여전히 그의 손목에서 빛을 발하며, 언제든지 그를 원하는 곳으로 이동시킬 준비가 되어 있었다. 그는 시계의 버튼을 눌러 설정을 마치고, 조용히 속삭였다.

영환: (작게) "이제, 나의 진정한 계획을 시작할 때다."

시계가 밝게 빛나기 시작했다. 영롱한 빛이 복도를 가득 채우며, 무지개처럼 반짝였다. 그의 몸은 그 빛에 둘러싸여 점점 투명해졌다. 그 순간, 자신이 설정한 곳으로 이동하기 시작했다. 그의 몸이 빛 속으로 사라졌다. 그러자 연구소의 공기는 순간적으로 흔들렸고, 그가 서 있던 자리는 텅 빈 곳으로 남았다. 연구원들은 그의 갑작스러운 행동을 눈치채지 못한 채, 연구 기록을 남기기 위해 몰두하고 있었다.

잠시 후, 연구소 박사 중 한 명이 눈치채고, 당황한 목소리로 외쳤다.

연구소 박사2: "영환 님? 영환 님, 어디 계십니까?"

그는 이미 먼 곳으로 이동한 상태였다. 그리고 어두운 방공호 안에서 감옥 내부를 걸어 다녔다. 그리고 그녀가 갇혀 있는 곳을 찾아냈다. 그녀는 극심한 노동과 열악한 환경 속에서 점점 쇠약해져 갔지만, 아들을 위해 끝까지 버티고 있었다. 그녀가 어둠 속에서 차가운 바닥에 아기를 안고 등져 누웠다. 문득, 방 안에 작은 불빛이 켜졌다. 그 불빛 속에서 그가 나타났다. 그녀는 그의 모습을 보고 놀라 눈을 크게 떴다. "영환? 여기 어떻게…." 말을 잇지 못했다.

그는 웃으며 말했다. "너에게 희망이란 없다는 것을 보여주기 위해 왔다, 라감."

그는 시계의 원리를 설명하며, 자신이 어떻게 이곳에 왔는지, 그리고 앞으로 어떤 일이 벌어질지를 말했다. "나는 이 장치를 이용해 언제든지 너를 찾아올 수 있어. 네가 어디 있든지, 너는 나의 손길을 피할 수 없어. 네가 아들을 위해 아무리 애써도, 너의 미래는 희망 없지."

그녀는 그의 말을 듣고 눈에서 눈물이 흘러내렸고, 그에게 소리쳤다. "영환, 제발 그만해! 난 이미 충분히 벌을 받았어!"

그는 그녀의 절규를 무시하며 냉정하게 말했다. "네가 받은 고통은 내가 받은 고통에 비하면 아무것도 아니야. 너는 나를 무시하고, 내 자존감을 짓밟았어. 이제 그 대가를 치러야 해."그리고 냉소적인 미소를 지으며 이어갔다. "여기서도 나에게 벗어날 수 없다는 것을 깨달았지, 라감?" "앞으로 내가 너를 얼마나 조종할 수 있는지 보여줄게."

그녀는 너무 놀라서 몸을 움직일 수 없었다. 그리고 과거 속 잠든 가족들 곁에 뿅 하고 나타난 그의 모습이 떠오르자, 그때의 일이 단순한 꿈이 아니었음을 깨달았다.

"그렇다면, 네가 예전에 가족들 곁에 나타난 것도…"

"그것도 꿈이 아니었지," 영환이 고개를 끄덕였다. "그때도 차원문을 통해 갔던 거야. 하지만 널 데리고 나올 수는 없었어."

이해가 되지 않자, 납치할 때는 왜 그것을 사용하지 않았는지 재차 물었다. "왜 그때는 그것을 이용하지 않았어? 중국으로 밀항할 필요가 없었잖아," 그녀의 목소리에는 호기심과 두려움이 섞였다.

그는 말귀를 못 알아듣는 그녀를 한심하게 쳐다보면서 다시 천천히 입을 열었다. "당시 불완전한 시계로 여는 차원문은 나 혼자만 이동할 수 있어. 다른 사람이나 물건을 이동시키는 건 불가능했지."

그의 말을 아직도 정확히 이해할 수 없었지만, 그녀는 그의 손아귀에서 벗어날 수 없다는 것은 명백히 깨달았다. 그저 눈물을 흘리며 그를 바라보았다.

그는 마지막 경고를 남기고 차원문을 통해 어딘가로 사라졌다.

"기억해라, 라감. 너는 결코 나에게서 벗어날 수 없어. 어디서든지, 나는 항상 너를 지켜보고 있을 거야."

4-3 미로

사라진 그가 향한 곳은 미국의 개인 비밀 연구소였다. 그는 이번 실험을 통해 차원 이동의 한계를 넘어, 우리가 아직 경험하지 못한 곳으로 그녀를 보내려 했다. 차원문 기술은 지금까지 그의 야망을 실현하도록 커다란 도움을 주었지만, 그 기술은 아직도 한계가 명확했다. 시각이나 감각으로 관측되지 않는 곳으로는 차원문을 통해 순간이동이 불가능했다.

화성은 이미 탐사선과 위성으로 그곳의 지형과 환경이 상당 부분 관측되었기에 차원문으로 이동할 수 있었지만, 금성은 달랐다. 금성으로 이동하려면 다른 방법이 필요했다. 금성은 독특한 대기와 극한 환경으로 인해 생존할 수 없을 것처럼 보였다. 그러나 그는 수년간의 연구 끝에 XX 염색체만이 금성에서 생존할 수 있다는 사실을 발견했다. "금성의 대기는 황산 구름과 이산화탄소로 가득 차 있어, 지구 생명체 대부분에게는 치명적이었지만 XX 염색체를 가진 여성의 체내에는 금성의 독성 물질을 무해한 형태로 변환하는 특수한 단백질이 존재해"

이 단백질은 여성의 신체가 특정 환경에서만 발현되는 유전자와 결합하여 생성되었으며, 금성의 황산과 이산화탄소와 만나면 일종의 생체 보호막을 형성했다. 이 보호막은 외부의 독성을 차단하고, 동시에 에너지원으로 활용하여 생명체가 생존할 수 있도록 도와줬다. 그는 XX 염색체를 가진 여성만이 금성에서 살아남을 수 있다는 사실을 이용해 그녀를 실험체로 선택했다.

그는 잠들어있는 그녀와 아들을 북한에서 데려와 비밀 연구소 깊숙한 곳에 그녀를 캡슐 안에 눕혔다. 캡슐은 투명한 돔 모양으로, 내부는 차갑고 인위적인 빛으로 가득했다. 그녀는 무의식 상태였지만, 주변의 모든 장치는 그녀의 몸을 정밀하게 스캔하고 분석하고 있었다.

연구소의 벽면에는 다양한 기계와 모니터들이 설치되었고, 그 위에는 그녀의 신체 정보를 실시간으로 보여주는 그래프와 데이터들이 빠르게 움직였다. 그는 그 데이터를 자세히 살피며, 각종 수치를 확인했다. 캡슐이 조용히 닫히면서, 내부의 기계들이 작동했다. 캡슐 내부에는 고해상도 카메라들이 설치되어 있었다. 이 장치들은 그녀의 모든 세포와 조직의 구조를 기록했다. 빛이 그녀의 피부를 스쳐 지나가면서, 마치 투명한 유리처럼 그녀의 신체 내부를 비추었다. 그녀의 신경계를 따라 흐르는 전기 신호를 추적하고, 혈류와 심박 수, 그리고 호흡 패턴까지도 정밀하게 측정했다. 데이터가 모두 수집되자, 캡슐 상단에서 홀로그램 프로젝터가 작동했다. 프로젝터는 그녀의 신체를 3D 모델로 변환하여, 공중에 투영했다. 홀로그램은 그녀가 그대로 떠오른 것처럼 생생하고 정교하게 재현되었다.

영환이는 그 홀로그램과 캡슐 안 그녀의 얼굴을 번갈아 바라봤다. "네가 왜 이곳에 있는지 모를 거야. 하지만 금성으로 갈 수 있는 유일한 존재가 너라는 사실은 변함없어."

그는 그녀의 팔에 주사기를 꽂아 약물을 천천히 주입하며 말을 이어갔다. "이 실험이 성공하면, 금성은 우리의 새로운 터전이 될 거야. 하지만 네가 실패하면, 그 또한 나의 복수가 완성되는 거지."

그녀는 여전히 깊은 잠에 빠져 있었다. 그의 말을 듣지도 못했다. 그녀의 몸은 그의 손에 맡겨져, 그가 계획한 대로 모든 것이 진행되고 있었다. 그는 컴퓨터 화면에 나타난 데이터를 다시 한번 확인하며 고개를 끄덕였다. 그리고 실험실의 조작 패널을 조작하며 마지막으로 모든 시스템을 점검했다. "좋아, 이제 시작해보자."

연구실 한가운데에는 반짝이는 우주선이 있었다. 이 우주선은 그가 설계한 작품이었다. 고도의 기술이 집약된 이 우주선은 금성의 혹독한 환경을 견딜 수 있도록 특별히 제작되었다.

다음 날, 우주선이 발사되는 날이 다가왔다. 그녀는 의식이 없는 상태로 우주선 내부 고정된 의자에 묶여 있었다. 그녀의 주변에는 그가 만든 각종 의료 장비와 모니터링 장치들이 설치되어 있었다.

"모두 준비됐나?" 그는 스스로 물었다.

우주선의 엔진이 작동하며, 거대한 소음과 함께 출발 준비를 마쳤다. "우주선 출발까지 10초 전," 자동 음성이 울려 퍼졌다. 그는 긴장된 얼굴로 모니터를 주시했다.

"10, 9, 8, 7, 6, 5, 4, 3, 2, 1, 출발!"

거대한 폭발음과 함께 우주선은 하늘로 솟구쳐 올랐다. 그는 지구에서 광경을 지켜보며 속으로 중얼거렸다. "이제 금성의 문도 열릴 것이다. 우리는 새로운 시대를 맞이하게 될 것이다."

우주선이 강력한 추진력으로 지구를 떠나 금성을 향해 날아갔다. 그녀는 그 순간에도 의식이 없었지만, 그는 그녀의 상태를 지켜보며, 차원 이동 실험결과를 기다렸다. 몇 시간이 지나고, 우주선은 금성의 궤도에 도달했다. 그녀의 상태를 지속해서 점검하던 그는 만족스러운 표정을 지었다.

"차원 이동 장치 작동 시작."

시계를 터치하자 눈 부신 빛이 쏟아져 나와, 무지갯빛으로 물결치며 홀로그램 속 라감이를 감싸기 시작했다. 빛은 그녀의 신체를 스캔할 때의 레이저처럼 정밀하고 부드럽게 움직였다. 빛의 파동이 홀로그램을 통해 그녀의 실제 몸으로 전달되었고, 홀로그램은 점점 빛 속으로 빨려 들어갔다. 빛은 점점 더 강렬해졌고, 그녀의 홀로그램 주변을 완전히 감싸며 차원문 중심으로 끌어당겼다. 시계의 힘을 최대한으로 끌어올리자, 빛은 그녀의 홀로그램을 완전히 삼키며, 차원문이 닫히는 순간 그녀는 우주선 내부에서 금성으로 이동했다. 이 순간이 바로 실험의 핵심이었다. 그녀의 신체는 그 과정에서 여러 데이터와 함께 지구에 있는 그에게 전송되었다.

그는 3D로 모델링한 홀로그램을 통해 그녀를 정확히 원하는 장소로 보낼 수 있었다. 그는 손목에 찬 시계를 한 번 더 확인하며, "성공이다." 라고 조용히 중얼거렸다.

"이제 새로운 차원의 문을 열 수 있다."

한편, 그가 사라지자 전 세계는 혼란에 휩싸였다. 대한민국은 항상 요원을 붙여 그를 감시했으나, 성공을 이루고 잠깐 방심하여 놓치고 말았다. 실종과 함께 정부 연구소의 활동이 전 세계에 드러나면서 각 나라는 이 사건을 주목하였다.

미국의 정보 단체는 한국 정부 연구소 조사를 시작으로. 감시 카메라를 설치하고, CIA를 파견하여 연구소 주변을 철저히 감시했다. 그리고 이 연구소가 어떤 연구를 수행했는지, 그가 사라진 후 어떤 변화가 있는지 알아내기 위해 노력했다.

미국의 개인 비밀 연구소도 FBI가 움직여 조사했다. 두 곳의 조사를 통해 정보 단체는 연구소의 활동과 연구 내용을 모두 파악했다.

지도자들은 점점 불안에 떨게 되었다.

미국의 대통령은 이 사태를 처리하는 데 어려움을 겪었다. "이게 무슨 일이야?" 비서실장에게 물었다. "그 사람이 어디로 갔는지 조사해 봐."

중국의 주석은 화를 주체하지 못했다. "어떻게 이런 일이 벌어졌는지 설명해라!"

러시아의 대통령은 불신을 표현했다. "이런 일이 계속된다면 우리 국가 안보가 위협받을 것이다. 차원문 연구진들을 즉각 제거하라."

각 국가 정부 요원들은 세계 각지를 수색하고, 관련 연구소들을 점거하며, 연구진들을 소탕하는 작전을 펼친다.

북한도 마찬가지였다. 영환이는 라감이를 따로 따돌리기 위해 북한과의 협상으로 천문학적인 달러를 제공했지만, 끝내 차원문의 정보는 알려주지 않았다. 이에 북한도 물리학자들을 모두 제거해야 한다며 한목소리를 냈다.

평양의 중심부에 있는 국가 안전보위부 청사. 회의실은 중후한 분위기를 자아내는 어두운 나무 패널과 붉은 카펫으로 장식되어 있었다. 한쪽 벽에는 김 씨 지도자의 거대한 초상화가 걸려 있었고, 회의실 중앙에 놓인 길고 견고한 테이블 주위로 각료들이 둘러앉아 있었다. 김 씨 지도자는 회의실 가장 높은 자리에서 인상을 찌푸리고 있었다. 회의 내내 그의 눈빛은 냉혹하고 단호했다. 마침내 그는 책상을 쾅쾅 두드리며 목소리를 높였다.

"이 상황이 얼마나 심각한지 알고나 있나?" 그의 목소리는 회의실을 가득 메웠고, 참석자들은 모두 고개를 숙였다. "선입금한 달러는 확보했지만, 차원문 정보가 우리 손을 떠났다. 그놈이 우리를 배반했다!"

김 씨 지도자는 잠시 침묵을 지키며 상황을 정리하는 듯 보였다. 그리고는 다시 한번 회의실을 둘러보며 명령을 내렸다. "그녀가 북한 감옥에 있는지 반드시 확인해라. 만약 이곳에 있다면 즉시 보고해. 이 사건의 책임자들은 전부 처벌받을 것이다."
회의실에 모인 고위 간부들은 김 씨 지도자의 말을 경청하며 그의 분노에 두려워했다. 김 씨 지도자는 손에 들고 있던 서류를 탁자 위에 내던지며 소리쳤다. "이제는 우리가 보복할 차례다."

한 간부가 조심스럽게 입을 열었다. "지도자 동지, 어떻게 보복할지 구체적인 계획이 있으십니까?"

김 씨 지도자는 냉정한 표정으로 답했다. "우리도 물리학자들을 제거해야 한다. 그들이 우리에게 주겠다고 약속한 정보는 이제 쓸모없다. 그들을 통해 얻을 수 있는 것은 아무것도 없다. 이 배신에 대한 대가를 치르게 해야 한다."

회의실에 있는 모든 이들은 지도자의 분노를 몸소 느끼며, 긴장감에 휩싸였다. 그는 회의를 마무리하며 마지막 지시를 내렸다.

"우선 그와 협약한 흔적을 지워야 한다. 이 상황을 바로잡지 못하면, 강대국들에 큰 위협을 받을 것이다. 각 부서장은 즉각 조처하고, 내 지시를 반드시 따르도록 하라. 이 회의는 종료한다."

지도자가 자리에서 일어나자 회의실에 있던 모두가 일제히 자리에서 일어났다. 김 씨 지도자는 한 치의 망설임도 없이 문을 나섰고, 그의 뒤를 따라 고위 간부들도 하나둘씩 회의실을 떠났다.

회의실은 다시 고요해졌지만, 그곳에 남은 것은 지도자의 무서운 분노와 함께 각료들이 신속하게 움직여야 한다는 절박함이었다. 감옥에 그녀가 아직 있는지 확인하기 위한 긴급 조치가 취해지면서, 그들은 모두 각자의 자리로 돌아가 빠르게 움직였다.

차원문과 순간이동 정보를 알게 된 미국, 중국, 러시아를 비롯한 강대국의 정부 요원들이 연구진들에게 접근했다. 모든 나라는 그들의 연구가 매우 위험하다고 생각했다.

"여러분은 이것이 얼마나 위험한 일인지 알고 있어야 합니다." 미국의 요원이 말했다. "차원문을 통한 순간이동은 국가의 안보를 심각하게 위협할 수 있는 기술입니다. 그만하셔야 합니다."

중국의 요원은 강경한 태도로 말했다. "우리는 우리의 국가 안전을 최우선으로 생각합니다. 만약 당신들이 이 기술을 무단으로 사용한다면, 그것은 전쟁의 시작이 될 수 있습니다."

러시아의 요원은 침착하게 말했다. "우리는 이것이 국제적인 위기로 이어질 수 있다는 것을 이해합니다. 연구진들은 우리의 대적이 될 수밖에 없습니다."

연구진들은 당황했다. 그들은 세계를 더 나은 곳으로 이끄는 것을 목표로 했지만, 자신들의 연구가 국가 간의 갈등 도구로 사용되고 있음을 깨달았다. 마침내, 정부 요원들은 결심을 내리고 연구진들을 제거하기로 했다. 이 결정은 비도덕적이고 고통스러웠지만, 이 사태가 더 큰 재앙으로 이어질 수 있다는 현실을 받아들인 지도자들의 조치였다.

우주정거장으로 이동

실험이 성공한 후, 영환이는 손목시계의 차원문을 다시 열어 그녀의 홀로그램에 빛을 비췄다. 그러자, 그녀는 금성에서 지구 궤도에 있는 개인 우주정거장으로 이동했다. 그리고 영환이는 그녀의 아들을 데리고 그녀가 있는 우주정거장으로 이동했다. 그곳은 고요하고 따뜻했으며, 지구의 푸른 모습이 창문 너머로 보였다. 아기의 울음소리에 깬 그녀는 혼란스러워하며 영환을 바라보았다.

"라감, 너를 다시 보게 되어 기쁘구나," 영환이는 그녀가 정신을 차리기 시작할 때 천천히 말했다. 그녀는 의식을 되찾으며 주위를 둘러봤다.

"여긴 어디야?" 그녀는 두려움에 찬 목소리로 물었다.

"이곳은 나의 왕국이지. 지구 궤도에 있는 비밀 우주정거장. 너를 위해 특별히 마련한 곳이야," 그가 다가가며 말했다.
"너는 이제 나의 실험체일 뿐만 아니라, 나의 재미를 위한 도구가 될 거야," 그는 그녀를 위에서 내려다보며, 말했다.

"너의 고통과 공포는 나에게 큰 즐거움이야," 영환이는 조용히 속삭이며, 그녀의 얼굴을 만졌다.

그리고 차갑게 웃으며 말했다. "여기서 너는 나의 소유물이야. 아무도 너를 구하러 오지 않을 거야."

그녀의 눈에는 우주정거장 창문 너머로 지구가 보였다. 푸른 행성은 여전히 아름다웠지만, 닿을 수 없는 꿈처럼 다가왔다.

"지구를 보고 싶어? 하지만 너는 그곳으로 돌아갈 수 없어." 영환이는 그녀의 절망을 즐기며 말했다. 그는 그녀의 고통을 자신의 승리로 여겼다.

"이제, 나와 함께 놀자. 너의 고통은 나에게 큰 기쁨이 될 테니까." 영환이는 웃음을 참지 못하며 말했다. 그는 그녀의 무력함을 만끽했다. 그의 손아귀에 갇혀, 무력하게 희롱과 굴욕을 견뎌야 했다. 그녀는 어디로 도망갈 곳도, 희망도 없었다. 그는 그녀를 끝없이 괴롭히고 있었다.

라감은 눈물을 흘리며 간절히 말했다. "영환, 우리에게서 떠나줘. 나는 잘못했어. 하지만 이제 그만해줘. 내 아들은 무슨 죄가 있어?"

그는 잠시 침묵을 지키다, 냉정하게 입을 열었다. "너의 아들은 무죄야. 하지만 너는 네가 한 행동에 대한 책임을 져야 해. 그리고 너에게 확실히 알리고 싶었어. 너는 나를 건드리면 안 됐어."

우주정거장의 차가운 금속 벽 사이로, 라감이는 자신이 다시 지구로 돌아갈 수 있다는 희망이 점점 사라져가는 것을 느꼈다. 영환이는 그녀를 차원 이동시키며, 자신의 정신 속에서 그녀를 지배하고 있었다. 그녀는 기생충처럼 그의 정신 속에 달라붙었지만, 그 자리조차도 점점 좁아져 갔다.

"넌 이제 나의 정신 속에 영원히 갇혀 있게 될 거야," 영환이는 말했다. 라감이는 그의 말에 저항하고 싶었지만, 몸과 정신이 무거워져 아무런 힘도 쓰지 못했다.

"왜 나를 이렇게까지 괴롭히는 거야?" 그녀는 마지막 힘을 짜내어 물었다. 그는 그녀를 무시한 채, 차원 이동을 시작했다. 그들은 우주정거장을 벗어나, 순식간에 다른 차원으로 이동했다. 그곳은 끝없는 황무지였고, 그녀는 발끝에서부터 차디찬 절망감이 스며드는 것을 느꼈다. 그리고 그녀를 이끌고, 자신의 정신 속 깊은 곳으로 들어갔다. 그녀는 그의 정신 안에서, 어둠 속에 갇힌 채, 그가 보여주는 환각 속에서 살아갔다. 그곳은 그의 끔찍한 악몽과 욕망이 뒤섞인 장소였다. 그녀는 거기서 탈출하려고 애썼지만, 갈수록 그의 정신에 더 깊이 묶여가는 자신을 느꼈다.

"여기서 나갈 수 없어…. 나갈 수 없어…." 그녀는 속으로 끊임없이 외쳤다. 그는 그녀의 절망을 즐기기라도 하듯, 계속해서 그녀를 조종했다. 그는 그녀를 자신의 의지대로 움직이도록 만들었고, 더 깊은 어둠 속으로 끌어들였다.

"이제 넌 나의 일부야. 나와 함께 영원히 살아가게 될 거야," 영환이는 중얼거렸다. 그녀는 자신의 존재를 서서히 잃어갔다.

한순간에는 우주 공간을 가로질러 그녀를 끌고 다녔다. 다음 순간에는 빛의 속도로 지구를 횡단하여 현실과 환상의 경계를 넘나들었다. 어느 순간에는 그의 사후 세계로 옮겨져, 죽은 자들의 영혼들이 일어나 그녀를 에웠다. 그들은 유령처럼 나타나서 그에게 힘을 줬으며, 복수를 도와주기 위해 한뜻으로 뭉쳤다.

때로는 시공간의 왜곡이 일어나서 그의 미로는 시대를 넘나들며 과거와 미래를 오가는 듯했다. 고대의 투기장에서 그가 그녀와 전투를 벌이고, 그다음 순간에는 미래 도시에서 고급 기술을 이용하여 그녀를 추적했다. 이렇게 그의 복수는 미로처럼 어지럽고 복잡하게 전개되었으며, 복수라는 목적을 향해 과거, 미래, 우주, 심지어 사후 세계까지 넘나들며 끊임없이 진행되었다. 시간이 지나면서 그녀의 몸과 정신을 완전히 지배하게 되었다. 그러나 그는 그녀의 고통과 절망에서 점점 흥미를 잃었다. 그녀의 비명도, 두려움도 즐겁지 않았다. 우주정거장의 조용한 구석에서, 그는 그녀와 마주 앉아 진심 어린 대화를 건넸다. 그녀는 여전히 혼란스러워했지만, 그의 변화에 놀라며 입을 열었다.

"네가 왜 이런 일을 저질렀는지, 난 이제야 조금은 이해할 것 같아," 라감이는 조심스럽게 말했다.

영환이는 깊은 한숨을 쉬며 고개를 끄덕였다. 그는 그녀에게 차 한 잔을 건네며, 눈을 바라봤다. "이제부터는 네가 자유롭게 생각할 수 있도록 할 거야. 너와 진심으로 대화를 나눠보고 싶어. 만약 네가 마음에 들면, 지구로 돌려보낼 계획이야."

라감이는 영환이의 말에 놀랐지만, 그의 진지한 표정을 보고 조금은 안도했다. "정말 그럴 수 있을까? 네가 나를 이렇게까지 괴롭혔는데도?"

"응, 나도 변할 수 있어. 너도 마찬가지야," 그는 그녀의 손을 잡으며 말했다. "우리가 서로를 이해할 수 있다면, 난 널 다시 자유롭게 해줄 거야."

그들은 긴 시간 동안 대화를 나누었다. 라감이는 자신의 고통과 두려움을 솔직하게 털어놓았고, 진심으로 마음을 열었다.

"네가 정말 나를 지구로 돌려보낼 수 있다면, 난 네 말을 믿어볼게," 그녀는 조용히 말했다.

영환이는 고개를 끄덕이며, 그녀의 손을 놓았다. "네가 원한다면 그렇게 하겠어. 난 너에게 더 고통을 주고 싶지 않아."

영환이는 그녀의 뇌와 자신의 뇌를 연결해 서로의 감정을 교환하고 싶었다. 목적은 그녀의 말이 얼마나 진실한지 그리고 얼마만큼 진심으로 반성하는지 확인하는 것이었다.

그는 뇌를 서로 이식하는 기계를 준비하고, 신비한 장치로 그의 뇌를 그녀에게 이식했다. 자신의 뇌가 그녀에게 전해지는 순간, 의식이 그녀의 몸속으로 스며 들어갔다. 고통과 혼란 속에서 그들은 서로의 의식과 감정을 체감하기 시작한다. 기계가 본격적으로 작동하자 라감이는 영환이의 고통과 분노를 그대로 느끼기 시작했다. 그의 마음속에 쌓인 증오와 분노는 마치 그녀의 심장을 칼로 찌르는 듯한 고통으로 다가왔다. 그녀는 숨 쉴 수 없을 만큼의 압박감을 느끼며 무릎을 꿇었다. 영환이는 그녀의 고통스러운 표정을 보며 씁쓸하게 웃었다.

"네 말이 맞는지 확인해 보자," 영환이는 그녀에게 속삭였다. "그래야만 우리는 서로를 이해할 수 있어."

라감이는 눈을 감고 이 고통을 견디기 위해 안간힘을 썼다. 내면 깊숙한 곳에서, 그녀는 자신의 죄책감과 마주했다. 그 순간, 그녀는 그의 고통과 분노 속에서도 자신을 지키는 무언가가 있다는 것을 깨달았다. 그것은 그녀가 잃지 않은, 자아의 뿌리였다. 베토벤의 격렬한 음악이 우주선 안에 울려 퍼졌다. 그 소리는 그녀의 내면을 흔들었고, 그녀와 그는 고통 속에서 함께 춤을 추기 시작했다. 그들의 움직임은 불협화음 속에서도 이상하게 조화를 이루었고, 그 순간 그녀는 처음으로 웃음을 터뜨렸다.

"우린 모래성처럼 무너질 수밖에 없지만," 그녀는 힘겹게 말했다. "내 안의 무언가는 변하지 않아. 그것이 나를 지키고 있어."

웃음소리는 그의 마음에 또 다른 감정을 불러일으켰다. 그리고 그녀의 말을 듣고 잠시 침묵했다. 눈에 씁쓸한 웃음이 번졌다. 그는 그녀의 말을 이해할 수 없었지만, 그녀의 말에 진실이 있음을 직감적으로 알았다. 그는 그녀의 두려움이 그녀를 어떻게 지배했는지 그의 집착이 어떤 복수를 낳았는지도 알았다.

그녀와 그의 관계는 100개의 톱니바퀴로 제작된 거대한 기계 같았다. 첫 번째 톱니바퀴가 한 바퀴 도는 동안, 얽힌 톱니바퀴는 겨우 10분의 1바퀴를 돌았다. 그녀가 고통 속에서 10초를 견딜 때, 영환이는 그 고통의 무게를 1초만 느끼는 셈이었다. 그녀가 희망의 빛을 찾아내는 데 35초가 걸린다면, 영환이는 단 3.5초 만에 그녀의 모든 희망을 무너뜨릴 수 있었다. 이 톱니바퀴의 기어가 돌아가는 메커니즘은 서로를 끝없이 얽매고 있었다. 한쪽이 빠르게 돌수록 다른 쪽은 천천히 돌고, 그 반대도 마찬가지였다. 그는 이 관계의 주도권을 쥐고 있었다. 하지만, 그가 알지 못하는 것은, 그녀의 내면 깊숙한 곳에 있는 변하지 않는 자아가 그녀를 지켜줄 것이라는 사실이었다. 그리고 그것이 결국 그녀를 구원할지도 모른다는 것을. 그녀는 이 톱니바퀴의 관계를 끊어내기 위해 무엇이 필요한지를 깨달았다. 100번째 톱니바퀴를 강제로 돌리면, 첫 번째 톱니바퀴는 광속을 뛰어넘어야 한다. 이는 물리적으로 불가능했다. 하지만 우주를 넘어서는 힘이 작용한다면, 그 관계는 결국 끝날 수 있을지도 모른다는 희망을 품었다. 그녀는 그에게서 벗어나려면 무한대에 가까운 힘이 필요했다. 자신의 내면에서 그 힘을 찾기 시작했다. 그것은 그녀가 오랜 시간 동안 잃어버렸다고 생각했던 자신에 대한 믿음이었다. 그 믿음을 다시금 일으켜 세웠다.

며칠이 지나고 영환이는 그녀에게 다가가 그 씁쓸한 느낌을 다시 확인하려 했다. 그러자 그녀는 미소를 지었다. "네가 생각하는 것보다 더 큰 힘이 내 안에 있어," 차분히 답했다. 그는 그 말을 못 들은척하며, 기계를 작동시켰다. 그러자 그녀의 몸 깊숙한 곳에서 푸른빛이 뿜어져 나왔고, 그 빛은 톱니바퀴의 메커니즘을 일그러뜨리기 시작했다. 그녀의 믿음은 무한대에 가까운 힘을 발휘했고, 톱니바퀴는 서서히 멈춰갔다.

그는 놀라움을 금치 못했다. 자신의 통제권이 서서히 무너져감을 깨달았다. "이게 무슨 일이야?!" 당황하며 외쳤다. 그녀는 그의 눈을 바라보며 말했다. "우주를 넘어서는 힘이 작용하고 있어."

둘은 미래의 메트로폴리스, 거대한 유리 돔 아래 펼쳐진 도시의 중심에서 서로를 마주 보고 있었다.

"여기서 벗어나려면, 함께 이 미로를 풀어야 해," 그는 단호한 목소리로 말했다.

그녀는 그의 말을 듣고 고개를 끄덕였다. 영환이는 손목에 찬 시계를 조작하여 입구를 열었다. 그들은 함께 미로 속으로 들어갔다. 미로는 끊임없이 변하는 네온 라이트와 홀로그램으로 가득 찬 복잡한 구조물이었다. 첫 번째 관문에 도달하자 두 개의 길로 나뉘어 있었다. 하나는 푸른 빛이 나는 길, 다른 하나는 붉은빛이 나는 길이었다. 그는 그녀를 바라보며 말했다, "푸른 길은 진실을, 붉은 길은 고통을 상징해. 선택은 네 몫이야."

그녀는 잠시 고민하다가 푸른 길을 선택했다. 그들이 푸른 길을 따라가자, 그들의 앞에 수많은 기억의 파편들이 홀로그램으로 나타났다. 그녀는 과거의 잘못들로 그에게 상처를 준 순간들이 떠올랐다. 그리고 자신의 행동에 대해 반성하며 눈물을 흘렸다. 하지만 그는 그 모습을 보며 냉정하게 말했다, "아직 시작도 안 했어."

두 번째 관문에서는 시간의 벽을 넘어야 했다. 그들은 각각의 시간대에서 벌어진 사건들을 경험하며 앞으로 나아갔다. 20세기의 전쟁, 21세기의 기술 혁명, 그리고 22세기의 기후 변화. 그녀는 이 모든 것을 경험하며, 인간의 본성과 힘의 논리를 깨닫게 되었다.

마지막 관문은 정신의 세계였다. 그들은 거대한 투명 돔 아래에 서 있었다. 영환이는 그녀를 향해 말했다, "이제 마지막 선택이야. 이곳에서 벗어나려면, 네가 진정한 변화의 열쇠를 찾아야 해."

그녀는 잠시 망설이다가 자신의 내면을 깊이 들여다보았다. 과거를 받아들이고, 그에게 진심으로 사과했다. 그 순간, 돔의 문이 열렸다. 그들은 함께 미로를 빠져나와, 다시 우주선으로 돌아왔다. 그는 그녀의 손을 잡고 말했다, "이제 네가 진정한 자유를 찾았어."

그 순간, 톱니바퀴는 완전히 멈췄고, 그녀는 그의 지배에서 벗어났다. 그녀는 그의 고통과 분노로부터 자유로워졌고, 그는 자신의 씁쓸함 속에서 서로에 대한 이해와 공감이 깊어져 갔다. 그녀는 자신이 경험한 고통을 딛고 일어서며, 더는 과거에 얽매이지 않았다. 이제 자신만의 빛을 찾아갈 준비가 되어 있었다.

푸른 행성이 서서히 가까워지고 있었다. 그녀는 지구로 돌아갈 준비를 하며, 자신의 마음을 정리하고 있었다. 그와의 경험은 그녀에게 큰 변화를 가져왔다. "널 이해할 수 있었어. 과거의 고통을 전부 잊지 않겠지만, 그것이 나를 망가뜨리게 두진 않을 거야."

영환은 그녀를 바라보며 고개를 끄덕였다. "네가 새로운 삶을 시작할 수 있게 되길 바라. 난 이제 새로운 도덕을 찾아 나설 거야. 우리 모두에게 필요한 새로운 가치관 말이야."

그녀는 그의 말에 미소를 지으며 말했다. "나도 새로운 도덕을 찾아볼게. 남녀, 선악, 어둠과 빛 등 모든 이분법적 사고를 뛰어넘어 새로운 가치를 발견해볼래. 그게 우리가 진정으로 자유로워지는 길일지도 몰라."

"지구로 갈 시간이 왔어," 영환이는 덤덤한 목소리로 말했다. "너와 네 아들은 돌아갈 수 있을 거야. 하지만 네 딸은 나와 함께 화성으로 가야 해," 그는 단호하게 말했다. 그녀는 충격에 휩싸였다. 딸을 데려가겠다는 말에 가슴이 무너지는 듯했다.

"안 돼! 내 딸은 데려가지 마!" 그녀는 절박하게 외쳤다. 그러나 영환이는 그녀의 애원에 귀를 기울이지 않았다.

"이건 이미 결정된 일이야. 너와 네 아들은 자유를 얻겠지만, 네 딸은 나와 함께 할 일이 있어," 냉혹하게 말했다.

그녀와 아들은 시계의 빛을 타고 지구로 돌아갔다. 지구의 공기는 차갑고 상쾌했지만, 그녀의 마음은 무거웠다.

한편, 그는 그녀의 딸을 데리고 화성으로 향했다. 화성의 붉은 대지와 끝없는 하늘 아래, 새로운 삶을 시작했다. 그녀의 딸은 혼란스러워하고 두려워했지만, 그는 그녀의 딸을 차분하게 달랬다.

"여기가 우리의 새로운 집이야. 네 어머니는 지구에서 잘 지낼 거야," 영환이는 위로를 건넸다. 딸은 어쩔 수 없이 그의 말을 믿기기로 했다.

화성에서의 생활은 고독하고 황량했다. 그러나 영환이는 그녀를 데리고 새로운 세계를 탐험하며, 자신의 꿈을 실현해 나갔다. 그녀와의 과거는 점점 희미해져 갔다.

시간이 지나 그녀도 지구에서 아들과 함께 새로운 삶을 시작했다. 딸을 잃은 상실감으로 매일 밤 그리워하며 눈물을 흘렸지만, 어쩔 수 없는 현실을 받아들이기로 했다. 그리고 그녀는 복수의 미로 속에서 자신의 행동이 얼마나 이기주의적이었는지를 회상했다. 자신을 향한 그의 복수라는 한 가닥 심장이 반성을 불러일으켰다. 자신이 얼마나 배려가 없었는지를 깨달았고, 뿌린 대로 거둔다는 사실이 얼마나 현실적인지를 알게 되었다. 그리고 자신의 솔직함이 얼마나 남들에게 상처를 줄 수 있는지를 깊이 생각했다.

영환이도 깨닫는 것이 많았다.

그는 그녀의 몸과 정신을 정복한 후 만족감과 행복의 차이를 체감했다. 처음에는 그녀를 정복함으로써 완전한 승리감을 느꼈다. "행복해. 이제 그녀는 내 것이야." 하지만, 시간이 지나면서 자신의 행복이 불완전하다고 느꼈다. 우주정거장에서 뇌 이식과 차원을 넘나드는 복수의 미로 속에서 씁쓸한 감정이 자리했다. 이 행복은 어딘가 부족한 느낌이었다. 그는 자신의 마음을 되돌아보고, 그 감정의 원인을 찾기 시작했다.

"왜 이렇게 기분이 이상한 거지?" 깊은 생각에 잠겼다. 그리고 떠올렸다. "만족감은 좋아하는 것에서 원하는 것을 뺀 결과다. 행복은 결괏값이며, 만족감은 선택에 달려 있다."

"나는 이제 초연한 행복을 찾아야 해." 그는 결심했다. "내가 원하는 것을 향해 나아가야만 한다."

5

미로 탈출

영환은 복수를 끝내고 화성으로 떠난다. 그는 선과 악의 구분이 없는 새로운 개척지를 찾고 싶었다. 화성의 붉은 모래 언덕 위에서 광활한 평원을 바라보며 깊은 생각에 잠겼다. 그의 손목에는 차원문을 열 수 있는 디바이스가 채워져 있었다. 이 작은 기계는 언제든지 화성에서 지구로, 혹은 금성으로도 건너갈 수 있게 해주는 강력한 도구였다. 그러나 그의 마음은 단순한 물리적 이동을 넘어서, 그 너머에 숨겨진 의미와 원리에 대한 의문으로 넘쳤다.

입자가 여러 위치에 동시에 존재할 수 있는 중첩 상태, 그리고 멀리 떨어진 두 입자가 서로 즉각적으로 영향을 미치는 얽힘 현상. 이러한 개념들은 단순히 과학적 이론에 그치지 않았다. 그에게는 우주와 인생의 근본적인 진리를 깨닫는 창이기도 했다.

모든 현상에는 실체가 없으며, 우리의 현실과 본질이 다르지 않다는 가르침은 향후 에바가 화성, 금성, 그리고 지구를 오가며 느끼도록 했다. 익숙한 지구에서 새로운 화성으로 건너가는 것은 단순히 행성 간의 이동이 아니라, 마음의 변화와 성찰이었다. 그는 양자역학의 중첩 상태가 자신이 여러 가능성 속에서 하나의 현실로 결정을 내리는 과정과 닮아있다는 것을 느꼈다. 화성의 거친 환경 속에서도, 금성의 뜨거운 대기 속에서도, 그리고 지구의 복잡한 사회 속에서도…. 그리고 그가 화성이나 금성에 있더라도 지구의 사람들과 여전히 연결되어 있다는 것을 의미하기도 했다. 어디에 있든, 그의 결정과 행동은 모든 사람에게 즉각적인 영향을 미쳤다.

손목의 디바이스를 바라보며 다짐했다. "지구에서 화성으로 건너가면서 맞닥뜨리는 모든 경험과 변화는, 결국 세상의 원리를 깨닫는 과정이다." 그는 지구에서 그녀의 딸 에바와 함께 차원문을 열었다. 찬란한 빛이 감싸 안으며, 또 다른 세계로 건너갔다. 진정한 마음의 자유와 평화를 찾아 나섰다. 지구의 이분법적 사고에 갇히지 않고, 인간의 본성, 도덕, 정의를 넘어서 새로운 문명을 창조하고자 했다.

5-1 신인류의 서막

화성에서의 새로운 시작

영환이는 에바에게 자신의 결심과 이유를 설명했다.

"에바, 너를 데려가는 이유는 단 하나야. 너는 새로운 문명의 씨앗이 될 거야. 지구의 기준에서 벗어나 새로운 세상을 경험하게 될 거야."

에바는 그의 말을 이해하지 못했지만, 그의 눈에는 진심이 담겨 있었다. 그리고 에바가 잠들었을 때 시계를 이용하여 화성에 도착했다, 붉은 행성의 풍경이 그들을 맞이했다.

화성에서의 첫날, 그녀는 처음 보는 풍경에 눈을 반짝이며 이리저리 뛰어다녔다. 에바는 새로운 세계에 온 신비로움에 흠뻑 빠져들었다.

"와, 여기 정말 멋져요!" 에바는 두 팔을 벌리고 빙글빙글 돌며 외쳤다. "아저씨, 우리가 정말 화성에 온 거예요?"

영환은 에바를 보며 미소 지었다. "그래, 에바. 우리가 지금 있는 곳은 화성이야."

에바는 놀란 얼굴로 영환에게 다가왔다. "어떻게 우리가 여기 온 거예요? 학교에서 배운 은하계가 정말 이곳이에요?"

그는 잠시 생각하다가, 그녀의 손을 잡고 가까운 바위에 함께 앉았다. "에바, 우리가 여기까지 올 수 있었던 건 아주 특별한 방법 덕분이야. 네가 잘 때 몰래 우주선에 태워서 왔어."

에바는 눈을 크게 뜨고 놀란 표정으로 물었다. "정말요? 그런데 우주선은 어디 있어요? 보고 싶어요!"

영환은 잠시 당황했지만, 곧 침착하게 거짓말을 이어갔다. "우주선은 우리가 도착하자마자 어딘가로 사라졌단다. 안전을 위해서지. 우리만 알 수 있는 비밀 장소에 숨겨져 있어."

에바는 의심스러운 눈초리로 영환을 바라보았다. "정말로요? 그럼 그 비밀 장소가 어디예요? 나중에 볼 수 있나요?"

영환은 부드러운 미소를 지으며 에바의 머리를 쓰다듬었다. "지금은 우리가 안전하게 이곳에 적응하는 게 먼저야. 나중에 네가 더 크면 보여줄게. 그때까지는 이곳에서 새로운 것들을 배우고 즐기는 게 중요하단다."

에바는 조금 실망한 듯했지만, 곧 화성의 신비로움에 다시 관심을 돌렸다. "알겠어요, 아저씨. 그럼 지금은 이곳을 둘러봐도 돼요?"

영환은 고개를 끄덕이며 대답했다. "물론이지, 에바. 여기에는 우리가 알아야 할 많은 것들이 있어. 함께 가보자."

에바는 신나서 다시 뛰어다니기 시작했다. 그녀의 마음은 새로운 모험에 대한 기대감으로 가득 찼고, 화성의 모든 것이 그녀에게는 놀라운 탐험의 대상이었다.

에바: "아저씨, 여긴 나무가 없어요. 건물도 보이지 않아요! 이곳은 왜 이렇게 황폐하고 공허한 거죠?, 이 풍경은 정말 이상해. 내가 과학 시간에 배운 핵전쟁으로 멸망한 행성 같아."

"아저씨, 우리가 여기서 할 일들이 기대돼요!" 에바는 밝게 외쳤다.

영환은 그런 에바를 보며, 그녀가 화성에서 잘 적응하고 있는 것을 보며 안도의 한숨을 내쉬었다. "그래, 에바. 우리에게는 많은 일이 기다리고 있어. 함께라면 무엇이든 할 수 있단다."

둘째 날, 영환이는 에바과 함께 거대한 돔을 건설했다. 이 돔은 그들의 새로운 문명이 시작될 장소였다. 돔 내부는 자급자족이 가능한 생태계로 꾸며졌다. 그는 최신 기술을 활용해 화성의 거친 환경 속에서, 인간이 살 수 있는 공간을 만들었다.

"에바, 우리만의 새로운 문명을 세울 거야."

그의 말을 듣지 못하고 그녀는 고새 지구를 그리워하는 슬픔이 그득했다. 그리고 엄마를 찾는 떼쓰는 모습이 점점 더 심해졌다.

"아저씨, 엄마가 보고 싶어요. 엄마가 여기 있었으면 좋겠어요." 에바는 눈물을 글썽이며 영환에게 말했다. 그녀의 목소리에는 그리움과 절망이 섞여 있었다.
영환은 에바의 옆에 조용히 앉았다. "에바, 지금은 힘들겠지만, 우리에게는 중요한 일이 있어. 엄마도 네가 잘 지내고 있는 것을 원할 거야."
"하지만 엄마가 보고 싶어요! 왜 여기 있어야만 해요? 왜 지구로 돌아갈 수 없는 거예요?" 에바는 눈물을 뚝뚝 흘리며 영환을 바라보았다. 그녀의 눈은 간절했다.

영환은 잠시 침묵했다. 그는 에바를 위로하고 싶었지만, 동시에 그녀의 미래를 위해 진실을 알려줄 수는 없었다. "에바, 지구는 지금 위험해. 우리가 여기에 있는 이유는 너를 보호하기 위해서야. 조금만 참아줄 수 있겠니?"

에바는 눈물을 닦으며 고개를 끄덕였다. 그녀는 지구로 돌아가 엄마를 보고 싶은 마음이 간절했지만, 조금 더 참았다. 그는 에바에게 새로운 문명을 가르치기 시작했다.

"우리 문명은 결과에 집중할 거야. 행동에 대한 도덕적 판단이 아닌, 그 행동이 가져오는 결과에 대해 생각해야 해."

에바는 점차 그의 가르침을 이해하고, 새로운 문명 속에서 자랐다. 그들은 함께 농작물을 재배하고, 화성의 자원을 활용해 자급자족하는 삶을 이어갔다. 그리고 어느 날, 영환은 에바에게 금성으로 가는 것이 제일 나은 선택이라고 말했다. 금성은 화성보다 더 안정적이고 발전된 문명이 있었다.

금성으로의 여정

화성에서 수년이 흐르고, 에바는 이제 어엿한 성인이 되었다. 그녀는 화성에서 자라면서 그의 철학과 비전을 배웠다. 그리고 그는 에바에게 더 큰 목표를 심어주었다. 에바를 돔 밖으로 불러내 붉은 화성의 황량한 풍경을 바라보며 말했다.

"에바, 너는 이제 충분히 강하고 지혜로워졌다. 화성만으로는 우리의 꿈을 이룰 수 없어."

에바는 영환이의 말을 이해하지 못한 채 물었다. "그렇다면, 우리의 꿈을 이루기 위해서 무엇을 해야 하나요?"

그는 눈을 반짝이며 대답했다. "너는 금성으로 가야 해. 금성은 우리가 구축한 문명의 다음 단계야. 그곳에서 더 발전된 기술과 사회 구조를 배우고, 우리의 비전을 완성할 힘을 얻어야 해."

에바는 잠시 침묵한 후, 다시 물었다. "금성에 가서 무엇을 해야 하나요? 그리고 왜 내가 그곳으로 가야 하죠?"

그녀의 눈빛은 궁금증으로 뒤섞여 있었다.

"에바," 영환이 조용히 말했다. "너는 네 어머니의 희생 덕분에 이 모든 것을 알게 되었어. 금성에는 우리가 아직 알지 못하는 신비한 것들이 많단다."

에바는 그의 말을 듣고 고개를 갸웃했다. "그렇다면, 왜 저를 금성으로 보내려고 하시는 거죠? 어머니처럼 실험체로 쓰려는 건가요?"

영환은 가볍게 웃으며 고개를 저었다. "아니야, 에바. 네 어머니를 통해 중요한 사실을 알게 되었어. XX 염색체를 가진 사람들만이 금성에서 생존할 수 있다는 것 말이야. 그리고 금성에는 이미 신인류가 살고 있어."

에바의 눈이 커졌다. "신인류요? 금성에 사람이 살고 있다는 건가요?"

영환은 천천히 고개를 끄덕였다. "그래. 네 어머니의 탐사는 단지 시작일 뿐이었어. 금성의 신인류는 우리와는 다른 방식으로 진화했지. 그들은 황산 구름과 이산화탄소 속에서도 생존할 수 있는 능력을 갖추고 있어. 너는 그들로부터 많은 것을 배울 수 있을 거야."

에바는 여전히 의구심을 품은 채 물었다. "그럼 제가 해야 할 일은 무엇인가요?"

"네가 할 일은 간단해," 영환이 말했다. "금성으로 가서 그곳의 신인류와 접촉하는 거야. 그들은 미래를 바꿀 열쇠를 가지고 있을지도 몰라. 네 어머니의 희생이 헛되지 않도록, 너는 금성에서 또 다른 시작을 만들어야 해."

에바는 잠시 생각에 잠겼다. "하지만 왜 저여야만 하는 거죠?"

영환은 그녀의 눈을 바라보며 진지하게 말했다. "너는 네 어머니의 딸이기 때문이야. 네 어머니는 금성에서 생존할 수 있는 첫 번째 사람이었고, 너는 그녀의 유전적 특성을 물려받았어. 그리고 너는 그곳에서 우리가 필요로 하는 모든 것을 배울 수 있는 유일한 사람일지도 몰라."

어느 날, 에바는 돔 안 그의 방에서 비밀 일기를 훔쳐봤다. 일기 속에는 그의 과거와 금성에 대한 상세한 기록이 적혀 있었다. 그는 화성에 오기 전, 지구에서의 삶이 그에게 얼마나 큰 상처를 주었는지, 그리고 금성에서의 삶이 인류의 미래와 희망을 어떻게 안겨줄지 적어두었다.

'금성은 인류가 잃어버린 모든 것을 되찾을 수 있는 곳이었다.'

일기의 내용을 읽으며, 에바는 그의 진심을 느꼈다. 그곳은 단지 안전한 장소가 아니라, 새로운 가능성과 희망의 상징이었다. 에바는 아저씨가 자신에게 금성에 대해 말한 이유를 이해했다. 그가 그녀에게 금성으로 가라고 한 것은 단순히 위험을 피하기 위해서가 아니라, 자신의 진정한 가능성을 발견할 수 있도록 돕기 위해서였다. 그리고 에바는 일기 속에서 금성에는 특별한 힘을 지닌 유물들이 숨겨져 있다는 것을 읽으며 깜짝 놀랐다. 적힌 기록에 따르면 이 유물들은 신인류의 미래를 결정짓는 중요한 열쇠였다.

"에바, 네가 금성으로 가야 할 이유는 단순한 도피가 아니야. 그곳에서 너는 지구의 미래를 바꿀 힘을 찾을 거야." 영환의 목소리가 그녀의 뇌에 메아리처럼 반복적으로 울렸다.

영환은 잠에서 깨고, 돔 안에서 식물에 물을 주고 있는 에바에게 다가갔다. 결심을 굳힌 에바는 그에게 말을 걸었다. "아저씨. 저는 금성에 가서 미래를 찾아볼래요."

영환은 미소를 지으며 그녀의 어깨를 살짝 두드렸다. "그렇다면 준비해라, 에바. 너를 위한 길을 열어줄 것이다. 네 어머니가 시작한 일을 완성하는 것은 네 몫이니까."

영환이는 에바의 어깨를 부드럽게 감싸며 말했다. "우리는 금성에서 새로운 동맹을 맺고, 기술을 습득한 후 지구를 다시 재편할 거야. 지구는 낡은 도덕과 한계에 갇혀서는 안 돼."

에바는 영환이의 말을 이해했다. 제가 금성에 가서 새로운 동맹을 맺고, 필요한 기술과 지식을 가져올게요."

영환이는 미소를 지으며 대답했다. "너는 그녀의 딸이지만, 운명은 그보다 훨씬 더 커. 너는 앞선 문명을 이끌고, 새로운 시대를 열어야 해. 그러므로 금성에서의 경험은 너를 더욱 강하게 만들어줄 거야."

에바는 금성으로 떠날 준비를 마쳤다. 화성에서의 마지막 밤, 에바는 영환이와 함께 돔 안에서 마지막 대화를 나눴다.

영환이는 말했다. "에바. 너는 우리의 희망이야. 지구가 새로운 문명으로 거듭날 때, 우리는 진정한 자유를 이룰 수 있을 거야."

에바는 손목에 작은 장치를 차고 있었다. 그는 오랜 연구 끝에 시계를 복제해서 만들어냈고, 에바에게 건네며 그 기능을 자세히 설명해주었다. 그녀에게 기기를 채워주면서, 차원문이 어떻게 열리는지, 그리고 그 원리에 대해 간략히 설명했다. "에바, 이 장치는 너를 금성으로 보내줄 거야. 너의 안전을 위해 특별히 제작한 거지. 이걸 사용하면 너는 금성으로 순간 이동할 수 있어."

에바는 손목시계를 자세히 살펴보았다. 시계의 중심에서 은은한 빛이 퍼져나갔고, 여러 개의 작은 버튼과 디스플레이가 있었다. 정교하게 설계되어 있었고, 손목에 자연스럽게 밀착되었다. 그는 장치의 기능을 시연하며, 차원문을 여는 과정을 보여주었다. 그녀의 손목시계 버튼을 누르자, 눈 부신 빛이 주위를 가득 채우며 네모난 차원문이 열렸다. "이 빛으로 들어가면 설정한 목적지로 이동할 수 있어."

에바는 놀라움과 흥분을 감추지 못했다. "정말 대단해요, 이걸 만들기 위해 얼마나 큰 노력을 하셨을지 상상이 안 돼요."

영환이는 미소를 지으며 대답했다. "그동안 많은 시간을 투자했지. 이제는 혼자서 만들 수 있는 능력을 갖추게 되었단다. 나는 언제든지 이 장치를 복제할 수 있어."

에바는 시계를 보며 잠시 생각에 잠겼다. 그녀의 마음속에는 지구로 돌아가 엄마를 찾고 싶은 욕망과 금성에서 새로운 시작을 열고 싶은 욕구가 교차했다. 하지만 그의 일기를 읽으면서 금성에서의 삶이 그녀에게 더 큰 의미가 있음을 직관적으로 깨달았다. 그녀는 마지막으로 화성을 돌아보았다. "엄마, 저는 당신을 사랑하지만, 나의 운명은 금성에 있어요." 에바는 확신에 찬 눈빛으로 차원문의 빛으로 들어갔다. 화성의 붉은 풍경이 휙 하고 사라졌다…. 곧바로 금성의 빛나는 풍경이 시야에 들어왔다. 부드러운 금빛이 행성을 감싸고 있었고, 금성인들의 모습은 아름답고 신비로웠다.

에바가 금성에 도착한 지 얼마 되지 않아, 그녀는 이곳이 지구와는 완전히 다른 사회임을 알게 되었다. 금성인들은 평화롭게 지내며, 발전된 문명과 기술로 자원을 무한히 생산해냈다. 에바는 금성인들과 더 깊이 대화하기 위해 아리엘에게 다가갔다. 아리엘은 에바의 관심을 끌 만한 매력을 지닌 금성인이었다. 그녀의 눈은 호기심으로 빛나고 있었다.

"아리엘, 여기는 지도자나 정치인이 없나요?" 에바는 궁금증을 참지 못하고 물었다.

아리엘은 부드럽게 웃으며 대답했다. "맞아요, 에바. 여기에는 지도자나 정치인이 없어요. 우리는 법이나 도덕도 없답니다."

에바는 놀라며 되물었다. "그러면, 여기서는 어떻게 자원이나 땅을 분배하나요? 지구에서는 이런 문제 때문에 자주 다툼이 일어나곤 해요." "어떻게 사회를 운영해요? 갈등이 생기지 않나요?"

아리엘은 미소를 지으며 대답했다. "우리는 기술로 먹을 식량과 여러 자원을 무한히 생산해요. 그리고 캡슐만 던지면 어디든 돔 안에서 잘 수 있어요. 그래서 유한한 자원으로 인한 갈등이 없어요. 모두가 필요할 때 필요한 것을 가지게 되니까요"

"모든 자원이 충분해요, 서로를 이해하고 존중하는 사회에서는 갈등이 일어나지 않아요. 누군가가 우리를 이끄는 것은 중도의 길이 아니에요. 우리는 각자가 스스로 선택하고, 그 선택에 따른 결과를 받아들일 뿐이에요."

에바는 그 말을 듣고 생각에 잠겼다. "그렇다면 여기서는 모두가 자신의 길을 스스로 찾는 거군요. 누군가에게 의지하지 않고…."

아리엘은 미소 지으며 고개를 끄덕였다. "맞아요. 우리는 모두가 평등하다고 믿어요. 스스로 선택하고, 그에 따른 책임을 지는 것이 우리의 방식이에요. 그래서 여기는 평화롭고 조화로운 사회를 유지할 수 있는 거죠."

에바는 금성의 독특한 사회 구조에 깊은 인상을 받았다. "지구에서도 이런 방식이 가능할까요?"

아리엘은 부드럽게 말했다. "가능할지도 몰라요, 에바. 하지만 중요한 것은 그들이 스스로 선택하고, 길을 찾는 거예요. 누구도 타인을 조종할 수 없어요."

에바는 금성의 철학을 마음에 새기며, 이곳에서 배울 수 있는 모든 것을 경험하고 싶다는 생각을 하게 되었다. 그러나 에바는 한 가지 무척 궁금한 점이 있었다. 다시 아리엘에게 다가갔다.

"여기는 정말 아름다워요. 그런데, 왜 남자가 없나요?" 에바가 물었다.

아리엘은 고개를 갸웃하며 에바를 바라보았다. "남자? 그게 뭐죠?" 그녀는 생소한 단어를 처음 듣는 것처럼 물었다.

에바는 순간 당황했지만, 차분하게 설명했다. "남자는 지구에서는 여자의 반대 개념이에요."

아리엘은 잠시 생각에 잠겼다. "우리에게는 그런 개념이 없어요. 우리는 그냥 우리일 뿐이에요. 서로 다름을 이해하지 못해요. 모두가 같은 종족이니까요."

에바는 금성인들이 다른 문화와 사고방식을 가지고 있다는 것을 깨달았다. 그리고 금성의 시스템에 감탄했다.

아리엘은 미소를 지으며 말했다. "우리는 당신을 환영해요. 당신도 우리의 일부가 될 수 있어요, 에바."

하지만 에바는 금성이 지구보다 발전된 문명을 선택했지만, 남자라는 존재가 왜 없는지, 그리고 이 시스템은 중도의 절반이 아닌지 깊게 고민했다. 몇 개월이 지나 고대 유적지에서 요상한 유물을 발견했다. 뿜어나오는 금색 빛깔은 어릴 적 화성에서 영환의 일기장으로 본 장면과 같았다. 그리고 목에 건 펜던트가 유난히 반짝거렸다. 펜던트 속에는 한 장의 낡은 가족사진이 있었다. 그녀는 사진을 들여다보며 잠시 멈칫했다. 사진에는 낯선 남자와 함께 어릴 적 자신의 모습, 그리고 엄마인 라감이가 함박웃음을 지으며 나란히 서 있었다. 에바는 혼란스러운 표정으로 사진을 자세히 살펴보았다. 그녀는 낯선 남자의 얼굴을 더듬고, 어릴 적 자신의 모습을 응시했다. 그리고 엄마인 라감이를 보며 혼란스러웠다.

유물에 손을 뻗자 놀라운 광경이 눈앞에 펼쳐졌다. 자신의 시계에서 공간이동 할 때와 다른 빛이 강렬하게 뿜어져 나왔다. 에바는 흥분을 감추지 못하며 시계를 두드렸다. 그 순간 에바의 눈앞에 두 개의 차원문이 열렸다. 에바는 놀라움과 두려움이 섞인 표정으로 차원문을 바라보았다. 눈 앞에 펼쳐진 차원문은 순간이동 할 때의 네모난 각진 모양이 아닌 둥그스름한 타원형의 모양이었으며, 하나는 푸른색, 또 다른 하나는 붉은색이 겉돌았다.

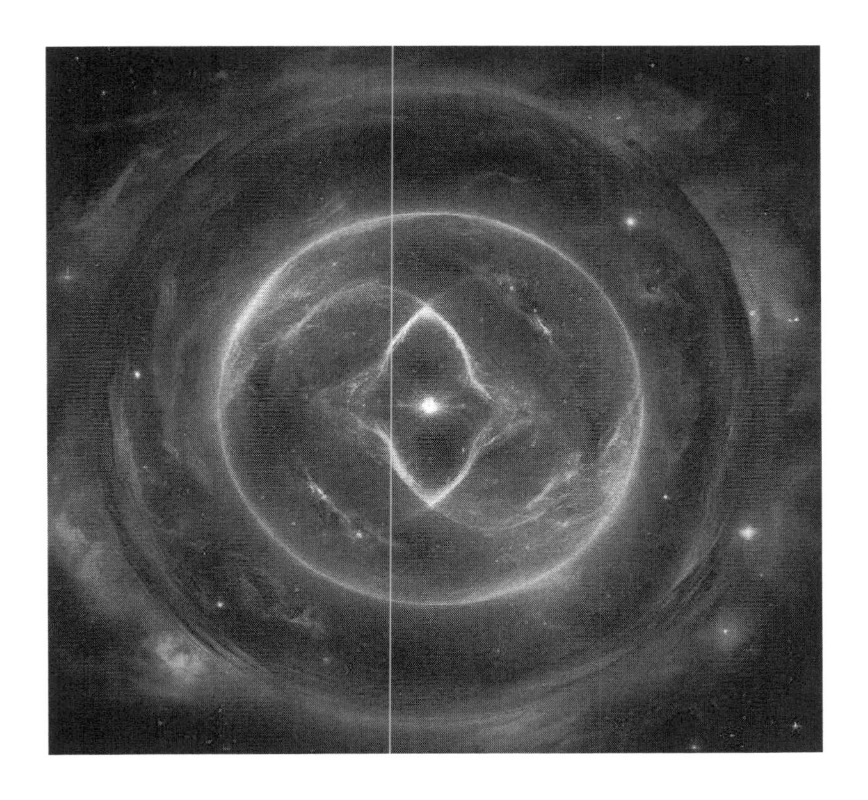

에바는 첫 번째 푸른색 차원문 안으로 발을 내디뎠다. 그러자, 활기차고 생명력 넘치는 곳이었다. 그녀가 길을 따라 걷자 금성에서 배운 고대 종족의 흔적이 나타났다. 그녀는 곧바로 흔적을 따라 여러 기념비와 고대석을 읽어 내려갔다. 그곳의 지구는 인간의 이기심과 맞서 싸우며, 한 여자가 오랜 세월 동안 지구를 지켜왔다는 이야기가 적혀 있었다. 그녀의 희생과 헌신 덕분에 현재의 지구가 존재하게 된 것을 깨달으며, 다음 발길은 한 여자를 만나기 위해 재촉했다. 길을 따라 걷다 보니, 울창한 숲속에 자리 잡은 고대 종족의 마을이 나타났다. 마을 한가운데, 한 여자가 위엄 있고 고요한 모습으로 서 있었다. 에바는 심장이 뛰는 소리를 느끼며 그녀에게 다가갔다.

그 여자는 낯선 이의 접근을 느끼고 고개를 들었다. 그리고 눈은 에바를 주의 깊게 살폈다. "누구시오?" 목소리에는 의심과 경계가 섞여 있었다.

"저는…. 먼 곳에서 왔습니다. 당신의 이야기를 듣고 싶어 왔어요." 에바는 애써 차분하게 대답했다. 그녀의 목소리에는 떨림이 있었다.

그 여자는 눈을 가늘게 뜨고 에바를 바라보았다. "왜 내 이야기가 궁금한가?"

에바는 어떻게 설명해야 할지 고민했다. "당신은 지구를 지키기 위해 많은 희생을 하셨죠. 저는 그 진실을 알고 싶어요."

그녀는 에바의 눈을 바라보며 무언가를 느꼈다. "그렇다면 나와 함께 걸으며 이야기해도 좋소." 고개를 끄덕이며 에바를 안내했다.

두 사람은 나무가 1,000m 높이에 달하는 울창한 푸른 숲속을 걸었다. 그녀는 자신의 이야기를 천천히 풀어놓았다. 목소리에는 깊은 슬픔과 결의가 담겨 있었다. "지구를 지키는 일은 쉽지 않았소. 많은 희생이 따랐지. 그러나 나는 항상 이 행성을 위해 싸워왔소."

에바는 그녀의 이야기를 들으며 감탄했다. "당신의 희생은 헛되지 않았어요. 현재의 지구는 당신 덕분에 존재해요."

그녀는 잠시 멈추어 에바를 바라보았다. "그대의 말에는 진심이 느껴지오. 하지만, 나는 그대가 누구인지 여전히 모르겠소."

에바는 숨을 깊이 들이쉬었다. "나는…. 미래에서 왔어요. 그리고 당신의 딸이에요. 하지만 당신은 그 사실을 모를 거예요. 나는 당신이 희생하고 지켜낸 지구를 보고 자랐어요."

라감이의 눈이 커졌다. "미래에서 왔다고? 그대가 내 딸이라니…." 그녀는 혼란스러워하며 에바를 바라보았다.

에바는 조심스럽게 손을 뻗어 라감이의 손을 잡았다. "미래에서는 많은 것이 변했어요. 당신의 희생이 없었다면, 나는 존재하지 않았을 거예요. 하지만 지금 이 순간, 당신을 만나고 싶었어요. 당신에게 감사의 인사를 전하고 싶었어요."

라감이는 에바의 손을 쥐며 눈물을 흘렸다. "그대의 말이 사실이라면, 나는 그대를 만나게 되어 기쁘오. 비록 그대가 내 딸임을 알지 못해도, 나는 그대의 진심을 느낄 수 있소."

두 사람은 서로를 껴안으며 눈물을 흘렸다. 에바는 라감이의 품에서 엄마의 따스한 온기를 느끼며, 시간과 공간을 초월한 모녀의 사랑을 깊이 느꼈다. 과거와 현재가 하나로 연결되는 순간, 에바는 미래의 희망을, 라감이는 현재의 사랑을 안고 있었다.

이번에는 붉은색이 겉도는 두 번째 차원문으로 발을 들이자, 전혀 다른 세상과 마주했다. 황폐하고 붉게 물든 대지, 곳곳에 폐허가 된 도시들, 거친 바람이 불어와 붉은 먼지를 휘몰아치는 모습이 마치 화성처럼 황량했다. 에바는 이곳이 지구라는 사실을 받아들이기 힘들었다. 그녀의 가슴 속에는 묵직한 슬픔과 절망이 자리 잡았다.

"엄마…." 에바는 작게 중얼거리며 고개를 돌려 주변을 살폈다. 그녀를 찾기 위한 발걸음은 주체할 수 없었다. 에바가 도착한 곳마다 폐허와 잔해뿐이었다. 사람의 흔적은 어디에도 없었다. 에바는 지친 몸을 이끌고 한때 번영했던 도시의 중심부에 도착했다. 그곳에는 과거와 다른 거대한 기념비가 우뚝 서 있었다. 기념비에는 낯익은 문양이 새겨져 있었다. 에바는 그 문양을 보자마자 가슴이 두근거리기 시작했다. 문양은 엄마의 상징이었다.

“이럴 수가….” 에바는 기념비에 다가가 손을 뻗었다. 그녀의 손이 기념비에 닿는 순간, 강렬한 붉은 빛이 그녀를 감쌌다. 눈 앞에 펼쳐진 것은 마치 꿈같은 환영이었다. 엄마의 기억이 그녀의 뇌 속으로 흘러들어왔다. 빛 속에서 그녀는 고대 종족의 일원인 엄마가 싸우던 장면을 목격했다. 지구를 지키기 위해 끝없는 전투를 벌였던 엄마의 모습, 인간들의 탐욕과 증오에 맞서 홀로 싸우던 엄마의 고뇌와 희생이 생생하게 전달되었다. 마지막 순간, 엄마는 인간들의 배신과 무관심 속에 무너졌다. 핵전쟁으로 인류는 멸망했고, 지구는 화성처럼 황폐해졌다. 그 순간, 에바의 가슴 속에 강렬한 통증이 일었다. 그것은 단순히 기억을 보는 것이 아니라, 엄마의 모든 감정을 고스란히 담아낸 것이었다. 그녀는 엄마의 얼굴이 자신의 얼굴과 겹쳐지는 것을 보았다. 엄마의 눈에서 흐르는 눈물이 에바의 뺨을 타고 흐르는 듯한 기분이었다. 그녀의 손끝에서, 엄마의 상처와 고통이 고스란히 전해졌다. 그리고 그 순간, 에바는 화들짝 놀라며 비석에서 손을 황급히 뗐다. 미래의 라감이는 바로 자신이었다.

“내가…. 라감이었어?” 에바는 너무 몰라 비석을 등지고 눈을 감으며 숨을 몰아쉬었다. 눈을 뜬 에바는 결심을 굳혔다. 그녀는 라감이가 먼 미래에는 지구를 결국 지켜내지 못했다는 것도 알게 되었다. 그리고 나지막이 속삭였다. '라감... 나는 당신이야. 그리고 당신의 희생을 잊지 않을 거야.'

에바는 자신이 미래에서 온 라감이라는 사실을 알자, 지구를 금성 이상의 완벽한 중도의 길을 걷는 행성으로 만들겠다며 시계를 가슴에 품었다. 다시 금성으로 돌아오자 펜던트 속 낡은 사진을 바라봤다. "왜 내 옆에 내가 있지?" 혼잣말하며 사진을 계속 들여다보았다.

그녀는 펜던트를 손에 꼭 쥐고, 이 사진이 의미하는 것은 무엇일까? 그리고 자신이 현재의 라감이와 어떻게 연결되어 있는지, 왜 미래에서 현재로 돌아오게 되었는지를 알아야 했다. 그것은 과거와 현재, 그리고 미래를 연결하는 중요한 단서였다. 에바는 펜던트를 조심스럽게 닫았다.

이제 그녀는 지구의 운명을 바꾸기 위해 무엇을 해야 하는지. 영환이의 말이 무엇이었는지. 조금씩 깨닫고 스스로 물었다.

"우리는 인류의 욕망과 이기심 속에서 그녀가 지켜내지 못한 황폐해진 지구를 원하나요? 아니면, 그녀의 희생을 이어받아 새로운 중도의 길을 걸을 지구를 원하나요?"

"지구를 지키지 못한 건 나였어. 이제 내가 이 일을 바로잡아야 해."

그녀는 차차 자신이 미래의 라감이라는 사실을 받아들였고, 붉은 색 차원문에서 열린 지구가 되지 않도록 막아야 했다. 그 후, 그녀는 금성에서의 수년 동안 성장하며 놀라운 변화를 겪었다.

이제는 지구의 딸, 화성의 소녀가 아니었다. 행동 패턴과 말투, 심지어 그녀의 감정까지. 외모도 환경에 바뀌며 적응했다. 피부는 금성의 태양 아래에서 깊게 그을려 강렬한 황갈색으로 변했고, 중력이 낮았기 때문에 그녀의 근육과 신체는 더욱 두드러지며 탄력적으로 바뀌었다. 운동선수처럼 다부진 몸매에서 나오는 결단력과 강인함도 뿜어나왔다. 그녀의 머리카락은 기후와 자외선에 노출되어 자연스러운 금빛으로 변했고, 길게 자란 머리카락과 함께 얼굴이 더 날렵해갔다. 그동안의 고된 훈련과 경험이 눈빛을 날카롭게 만들었으며, 차가운 푸른 회색 눈동자는 예리하게 빛났다. 표정은 카리스마가 항상 묻어났고, 순수하고 온화했던 모습을 찾아볼 수 없었다. 금성의 고유한 문양과 금속성 섬유로 제작된 갑옷은 신체를 보호함과 동시에 그녀를 상징했다. 갑옷의 금속성 섬유는 금빛으로 빛나며 움직임에 따라 유연하게 반응했다.

어느 날, 에바는 우주선 안의 홀로그램으로 지구를 바라보았다. 푸른 행성은 여전히 아름다웠고, 그녀에게 운명의 장소인 곳처럼 느껴졌다. 자신의 목에 걸린 펜던트를 만졌다. 목에서 빼내어 펜던트를 손에 쥐고, 바라봤다. '나는 지구로 가야 할 운명이구나' 여전히 어떤 이상한 감정이 서려 있었지만, 구체적으로 무엇인지는 알 수 없었다.

한편, 에바가 금성에서 성장하는 동안, 영환은 화성에서 그녀의 귀환을 기다렸다. 화성에서 온 남자와 금성에서 온 여자가 힘을 합쳐 지구를 재편할 날을 꿈꾸며.

몇 년 후, 그는 화성에서 종족 번식에 성공했다. 그리고 화성 병에 걸려 숨을 거뒀다. 번식을 통해 화성은 남자들만이 존재했고, 금성은 여자들만의 새로운 사회를 이뤘다. 그리고 에바의 금성에서의 경험은 그녀를 더욱 강하게 만들어, 새로운 문명으로 지구를 이끌 준비가 되었다. 이제 두 문명은 각자의 세계에서 힘을 합칠 때가 되었다. 수년이 또다시 흐른 뒤, 이 두 문명은 지구에 자신들의 존재와 문명을 알리기로 했다. 인간이 이해하는 기준과 신이 바라보는 기준은 서로 다를 수 있으며, 때로는 이 둘 사이에 갈등이 발생할 수 있다. 이제 지구도 새로운 세계의 시작이다. 지구인의 운명은 이들에게 달려 있다.

어둠과 빛, 선과 악이 얽힌 지구로 가는 네모난 차원문이 열리자, 에바는 늘 목에 지니던 펜던트를 바닥에 과감히 던져 버렸고, 은하계 전체는 살며시 흔들렸다.

지구로의 침략

화성인과 금성인이 지구에 도착한 지 얼마 되지 않아, 그들은 서로 마주했다. 그 순간, 둘 다 상대의 존재를 처음 알게 되었다. 무심한 표정으로 서로를 바라보던 그들은 천천히 가까이 다가갔다.

"안녕하세요, 저는 마크입니다. 화성에서 왔습니다." 그는 낯선 지구의 대기에 적응하며 피로를 감추려고 미소를 지었다.
"안녕하세요, 저는 에바입니다. 금성에서 왔어요. 영환 씨가 무언가 성공했다는 연락은 받았는데, 아마도 그의 후예인가 봐요?" 그녀는 반가운 미소를 띠며 화성인을 살펴보았다.

화성과 금성의 신인류는 에바를 제외하고 서로의 존재를 전혀 알지 못했다. 지구로 오는 날, 그들은 연락을 취했고, 처음으로 서로를 알게 되었다. 화성인이 금성인을 바라보며 말했다. "우리는 왜 이렇게 다르게 생겼죠?"
다른 금성인이 놀란 표정으로 대답했다. "우리도 당신과 같아요. 하지만 우리끼리 살아왔어요." 그들의 대화는 실존의 의미를 깊이 탐구하는 과정이었다. 그리고 서로 다른 생명체가 있다는 사실은 모두에게 큰 충격이었다.

두 문명 사이에는 긴장감이 떨어지지 않았다. 이른바 "이중의 다른 세계"를 이해할 수 없었다.

화성과 금성에서의 생활은 서로 다른 문화와 관습을 형성해왔기 때문에, 그들은 서로의 생각과 행동도 신비하게 쳐다봤다. 지구에서 화성인과 금성인은 본질에 대해 깊이 고민하며, 지구인의 도덕성과 이해할 수 없는 신비한 의미를 알아갔다. 두 신인류가 지구를 탐험하고 서로를 이해하는 동안, 많은 호기심이 생겼다. 그리고 자연의 아름다움과 인간의 다양성을 발견하며 신비로움에 빠져들었다.

"에바, 이곳에서 본 모든 것이 정말 아름다워요. 하지만 그것들이 과연 지구인이 말하는 선인지 악인지 어떻게 알 수 있을까요?" 마크가 진지한 표정으로 말했다.
에바는 마크의 질문에 고개를 갸웃거렸다. "맞아요, 마크. 선과 악 그리고 도덕에 대한 개념은 우리가 정한 것일 뿐이에요. 신의 관점에서 볼 때, 그것들은 아마도 무의미할지도 모르겠어요."

"그럼 지구인은 어떻게 자신의 행동이 선인지 악인지를 결정할 수 있나요?" 마크가 궁금한 듯이 물었다.

에바는 심각한 표정으로 대답했다. "지구인은 종종 자신의 이익을 위해 행동하는데, 그것이 다른 이에게 해를 끼치거나 공정하지 못한 경우가 있어요. 그래서 선과 악이란 것은 매우 모호한 것이에요."
마크는 에바의 말에 고개를 끄덕였다. "그렇다면 우리는 어떻게 자신의 행동을 평가해야 할까요?"

에바는 조심스럽게 말했다. "행동에 대한 도덕적 판단이 아닌, 그 행동이 가져오는 결과에 대해 생각해야 합니다." 자신의 한계를 인정하고, 신비로운 것들에 대한 존경과 경의를 표할 때만 진정한 깨달음을 얻을 수 있다. 그리고 그들은 여자와 남자라는 성별의 개념도 알지 못했다. 이 또한 그들의 문명에서는 이분법적 사고로 인한 이름짓기에 불과했다.

5-2 복수의 진실

과거 우주정거장 속의 또 다른 대화

"영환, 우리 인간이 오감을 느끼지 못하고 단지 심장만 뛴다면, 그것은 죽은 것과 다름없지 않을까요?" 라감이 물었다.

영환은 고개를 끄덕이며 대답했다. "맞아, 라감. 오감을 통해 우리는 세상을 인식하고, 그로 인해 삶을 살아가지. 하지만 만약 우리가 그 모든 것을 잃어버린다면, 우리는 정말로 살아있다고 할 수 있을까?"

그녀는 창문 너머로 보이는 별들을 바라보며 말을 이었다. "혹시, 우리가 지구에서 관측하는 것들과 우주 자체도 모두 인간이 만들어 낸 상상력일까요? 결국, 우리는 모두 마음속에서 시작된 창조의 산물인가요?"

영환은 대답했다. "어쩌면 그렇겠지. 모든 것은 인간의 마음에 달려 있으니, 결국 누군가의 창조적 시뮬레이션일지도 몰라. 우리는 우리의 현실을 착각하고 있는 것일지도."

라감은 고개를 끄덕이며 깊은 생각에 잠겼다. "그렇다면, 이 모든 복수와 고통, 그리고 우리의 만남과 이별도 결국 당신의 마음속에서 시작된 망상일까요?"

영환은 잠시 침묵을 지키다가, 결단한 듯이 대답했다. "양자역학의 거시세계와 순간이동, 이 모든 것은 결국 인간의 마음으로는 모두 가능해. 우리가 상상하는 모든 것은 현실이 될 수 있고, 우리는 그 속에서 살아가고 있는 것일 뿐이야."

라감은 마지막으로 말했다.

"그렇다면, 우리는 우리의 상상 속에서라도 평화와 행복을 찾을 수 있기를 바랍니다."

그렇게 그들은 새로운 깨달음을 얻었다. 결국, 현실과 상상은 모두 인간의 마음속에서 만들어지는 것이며, 우리는 우리의 마음으로 새로운 세상을 창조할 수 있다는 사실을 말이다. 그가 겪은 모든 경험, 복수와 고통, 그리고 깨달음은 그를 새로운 차원으로 이끌었다. 그는 인간의 마음과 상상력이 현실을 어떻게 형성하는지에 대해 명확히 이해하게 되었다. 라감과의 마지막 대화에서, 영환은 더 깊은 질문에 대한 답을 찾고자 했다. 상상 속에서 그녀를 만나 물었다. "라감, 도덕과 법은 어떠한가? 사다리에서 높은 사람이 하층을 다루기 위해 만든 시스템일까?"

상상 속 라감은 잠시 생각한 후 대답했다. "그 답은 복잡해요. 도덕과 법은 인간 사회에서 정립된 규범이죠. 이는 시대와 문화에 따라 변화할 수 있어요. 때로는 도덕과 법이 상호 보완적이고 일치하는 때도 있지만, 괴리되기도 하죠. 심지어, 어떤 법은 도덕적으로 옳지 않을 때도 있어요. 사다리에서는 특정 계급이나 집단이 다른 이들보다 우월하다고 정의할 수 있지만, 이는 종종 편견과 차별을 초래할 수 있죠."

영환은 고개를 끄덕이며 동의했다. "그렇다면, 혼돈 속 세상에서 기준을 정하는 행위는 어불성설인가?"

라감은 말했다. "우리는 모든 동물이 평등하다고 주장하죠. 그러나 그 위에 조금 더 평등한 동물인 인간이 있다고 주장해요. 이것도 하나의 기준 짓기에 불과하죠. 그러므로 인간 사회의 현실은 많은 논란을 불러일으켜요. 사회적 계층, 경제적 격차, 인종 차별 등의 문제들이 이를 뒷받침해 보여주죠. 우리가 세상을 이해하고 변화시키는 과정에서 계속해서 다뤄져야 할 과제예요."

이는 인간이 현실을 이해하고 해석하는 방식에 대한 의문을 제기했고, 우리가 사용하는 언어도 단순히 사물을 지칭하는 것이 아니라, 그것을 둘러싼 사회적, 문화적 맥락에 따라 그 의미가 다르게 형성된다는 것을,

그럼, 복수란 언어와 단어는 과연 무엇이었을까?

메시지

"신이 존재한다면, 우리에게 어떤 메시지를 남기고 있는 걸까?"

그는 잠시 침묵하더니 조용히 대답했다. "아마도 우리가 끊임없이 질문하고, 탐구하며, 자신을 스스로 이해하려 노력하라는 것일지도 몰라."

세상은 아직도 미스터리로 가득하다. 종교, 철학, 우주를 넘어 현대물리학으로 설명되지 않는 기이한 현상을 자아정체성과 맞물려 깊이 고뇌하도록 한다. 심지어 다른 차원의 세계로 이끌려가는 듯한 느낌도 든다.

영환은 우주의 광활한 풍경을 바라보며, 자신이 살아온 여정을 되새겼다. 그는 복수를 통해 인간의 본성과 존재에 대한 깊은 이해를 얻었다. 창밖으로 어둑한 하늘을 바라보며 조용히 생각에 잠겼다. 머릿속은 혼란스러웠지만, 그 혼란 속에서 한 가지 확신이 점점 또렷해지고 있었다.

“그래도, 세상은 사실 우연히 지배되고 있을 뿐이야,” 자신에게 속삭였다. “우리가 그동안 양자역학을 이해하지 못했던 이유는 인간 중심적 인과관계를 찾으려고만 하기 때문이지.”

거리의 노숙자들을 떠올렸다. 그들은 세상을 바꾸는 데 아무런 역할도 하지 않는 것처럼 보였다. 하지만 그는 점점 더 확신하게 되었다. "우리는 거리에 있는 노숙자나 집에 박혀 아무것도 하지 않는 사람들이 세상을 바꾼다고 생각하지 않아. 그리고 1%의 천재들만이 세상을 바꾼다고 믿지. 그러나 이것도 명백한 인간 중심적인 사고야."

한편, 라감은 기억 속 영환을 떠올리며 미소를 지었다. "실제로는 아무것도 하지 않음도 무언가 하는 거야. 이렇듯 자연은 작은 일들이 모여 위대한 결과를 낳지. 존재하는 것은 모두 의미가 있으며, 모두 중요한 역할을 하고 있어."

그녀는 말을 이어갔다. "이러한 인식을 통해 우리는 더욱 감사하고 겸손해질 수 있어. 삶을 풍요롭게 만들 수 있는 거야. 더 나아가 우리가 살아가고 있는 행운은 더 많은 기이한 우연의 연결 고리에 달려있어."

그녀는 그와의 악연을 떠올렸다. "우리의 만남도, 우리의 갈등도 결국 우연의 산물일 뿐이야. 우리가 서로에게 준 상처들도, 결국 우연이 만들어낸 결과물이야."

"우리는 태어나기까지 기가 막힌 무수한 우연들을 겪었어," 그녀는 조용히 중얼거렸다. "끔찍한 전쟁터에서 우리 조상들은 운 좋게도 화살, 칼, 총알을 피했고, 그 덕에 내가 이 자리에 있을 수 있지." 그리고 조상들의 만남을 떠올렸다. "고조할아버지가 말을 타고 가던 중 말이 다리를 다쳐서 하룻밤을 그 동네에 묵게 된 그 우연한 사건이 없었다면, 나는 지금 여기에 있을 수 없었지." "다음에도 수많은 우연이 복합적으로 이루어져, 결국 나는 태어났어," 그녀는 자조적인 미소를 지었다.

태어난 뒤, 나비의 작은 날갯짓이 날씨를 뒤죽박죽으로 만드는 것을 보았고, 상자 속에 살아있으면서도 죽은 좀비 고양이도 들었다. 그 모든 것은 우연으로 시작되었지만, 결과적으로 인과관계를 만들어냈다.

"하지만 사람은 우연에 대해 깊게 생각하기보다는 왜 그런 일이 일어났는지 인과관계를 찾으려는 경향이 있어,"

그녀는 영환과 만남이 단순한 우연이었는지, 아니면 그들 사이의 복수가 필연적으로 예정되어 있었는지 생각을 정리했다.

"우연의 연속이었어. 그날 그 시간에 내가 회식에 가지 않았다면, 그와 만날 일도 없었겠지. 하지만 그 만남이 이렇게까지 큰 결과를 낳을 줄은 몰랐어," "그의 복수… 그것도 우연의 연속에서 비롯된 걸까? 아니면 우리가 서로에게 예정된 운명이었을까?"

그녀는 그의 복수가 떠오를 때마다 생각을 정리했다. “어쩌면 그것도 우연이었을지 몰라. 나비의 날갯짓처럼, 작은 사건들이 모여 지금의 우리를 만들었을 뿐이야.” 그녀는 창밖을 바라보며 말했다.

“영환… 그가 나에게 복수를 결심한 것도 결국 우연의 연속이 만들어낸 인간의 사고 속 인과관계일 뿐이야.” “우리는 우연의 지배를 받으면서도, 그 안에서 인과관계를 찾아가려는 인간이니까.”

“그 복수도, 그 모든 것도 결국 우연 속에서 피어난 결과일 뿐이야.”

그녀는 미소를 지었다. “앞으로도 그럴 거야. 모든 것이 혼란 속에서 이루어지는 것이니까. 당신도 그 안에서 답을 찾길 바라.”

마지막으로 속삭였다. 그리고 그녀의 목소리는 허공에 흩어졌다.

“우리의 운명은 별자리에 있는 게 아니라, 우리 자신에게 있다는 사실을…”

복수는 시간과 공간을 넘어섰다. 그것은 단순한 개인의 감정을 넘어 인간의 본성과 결정에 대한 깊은 철학적인 고찰을 담고 있다. 둘의 이야기는 복수 이상으로, 인간의 존엄성과 욕망, 그리고 결정에 대한 영원한 고찰을 안고 있었다.

<에필로그>

라감은 16살 된 아들의 손을 잡고 시장을 돌아다니며 웃음을 띠었다. 아이의 눈은 여기저기서 반짝이는 물건들로 가득 찬 시장의 풍경에 푹 빠져 있었다. 한 손에는 사과를 쥐고, 다른 손으로는 알록달록한 풍선을 흔드는 아들의 모습에 행복감에 젖었다.

"중도를 찾아 내면의 조화를 이룬다면, 삶 속에서 고통이 아닌 행복을 느낄 수 있을까?" 그녀는 자신에게 물었다. 시장의 활기찬 소음 속에서 그녀는 잠시 멈춰 섰다. 중간은 두 극단 사이의 중간 지점을 가리키지만, 중도는 어디서든 안정된 균형을 유지하는 것을 뜻한다. 우리는 중도의 마음속에서 내면을 발전시키는 방법을 찾고, 이 과정을 즐기며 삶을 모험해야 한다.

아들의 손을 잡고 한 걸음 한 걸음 내디딜 때마다, 그녀는 자신의 현실을 마주했다. 완벽한 조화와 균형을 이루려고 할 때 부딪히는 고통 속에서 성장의 연속된 과정을 맛볼 수 있었다. 삶 속에서 본인의 노력만으로 해결하기 어려운 문제는 항상 존재한다. 그럴 때마다 폭풍이 지나가기를 기다리기보다는, 빗속에서 춤추는 법을 배우는 것이다.

눈 앞에 펼쳐진 시장의 풍경을 보며 다시금 미소 지었다. 과거의 고통과 악연은 이제 그녀의 성장을 위한 거름이 되었다. 영환이와의 갈등도, 그로 인한 복수도 결국 지나간 일이었다. 이제 그녀는 아들과 함께 새로운 행복을 찾아가고 있었다.

"엄마, 이거 봐! 풍선이 이렇게 높이 올라갔어!" 아들이 기쁨에 찬 목소리로 외쳤다. 라감이는 아들의 손을 꼭 잡고 고개를 끄덕였다. "그래, 우리 아들. 언제나 이 순간을 즐기자. 삶은 계속해서 우리에게 도전과 행복을 함께 안겨줄 거야."

그녀는 다시 한번 시장의 활기찬 분위기 속으로 걸음을 옮겼다. 빗속에서 춤추는 법을 배운 그녀는 이제 자신과 아들을 위한 새로운 미래를 향해 나아가고 있었다.

한편, 에바가 금성에서의 경험을 뒤로하고 지구로 돌아오자, 그녀는 인류가 끊임없이 싸우는 모습을 보며 깊은 불안에 사로잡혔다. 지구는 점점 더 혼란에 빠져들고 있었고, 화성처럼 되지 않을까 두려웠다. 붉은색 차원문에서 본 황폐한 지구의 모습이 머릿속에 생생히 떠올랐다. 에바는 지구의 여러 곳곳을 탐험하면서 고대 종족인 현재의 라감이가 인간의 욕망과 이기심으로부터 지구를 지켜내지 못할 것이라는 사실을 알고 있었다.

에바는 라감이가 있는 곳으로 조용히 찾아갔다. 하지만 라감이는 에바가 자신의 딸이라는 사실을 알지 못했다. 에바의 외모는 너무나도 달라졌고, 행동과 말투, 심지어 눈빛까지도 완전히 변했다.

모성애가 강한 그녀조차도 에바의 변화를 감지할 수 없을 정도로, 완전히 다른 사람이 되어 있었다. 에바는 그녀에게 다가가며 말을 건넸다. "지구인들은 왜 탐욕스럽고 욕망이 많은가요? 왜 그렇게 이기적인가요?"

그녀는 인류를 지켜야 한다는 목적도 잊은 듯했다. 에바의 물음에 대답하기 위해 머릿속을 정리하고 있었다. 그 순간, 에바는 그녀의 어깨를 톡톡 쳤다. "네가 나의 엄마라고 생각해?"

라감이는 순간 망설였다. 그녀는 에바를 보고서는 엄마라고 말할 수 없었다. 에바를 낯선 이방인으로 여겼고, 웃으며 "네가 내 딸 같은 느낌이야"라고 대답했다. 하지만 그 말을 들은 에바는 어색한 미소를 지었다.

"나는 너의 딸이 아니야." 목소리는 갑작스럽고 무정하게 들렸다. 그리고 말을 이어갔다. "나는 당신을 도와주러 왔어."

라감이는 에바를 보며 미묘한 감정을 느꼈다. 그녀는 조심스럽게 물었다. "왜 저를 도우려는 거죠?"

에바는 깊은숨을 들이쉬며 대답했다. "나는 미래에서 왔어. 당신이 실패하고, 멸망한 미래에서. 나는 바로 당신이야. 당신의 딸이 아니라, 미래의 당신 자신이라고."

라감이는 충격을 받았지만, 에바의 눈에서 진실을 읽을 수 있었다. 그녀는 무겁게 고개를 끄덕이며 말했다. "그렇다면, 우리가 해야 할 일이 무엇인지 알겠군요."

에바는 단호하고 분노가 약간 섞인 목소리로 말했다. "당신의 존재는 지구의 미래를 막지 못할 거야!"

라감이는 에바에게 고개를 끄덕였다. "내가 할 수 있는 마지막 일이 있다면, 그렇게 해 주세요."

에바의 눈동자는 이상한 빛이 번쩍였고, 손은 그녀의 목을 감쌌다. "너는 죽을 거야, 이기적이고 탐욕스러운 지구인." 목소리는 결연했다. 그녀는 비명을 질렀지만, 에바의 손은 이미 그녀의 목을 조르고, 눈은 살기를 띄었다. 에바는 냉정하게 일을 마치고, 눈동자 안에는 지구인과 전투 중인 크리스털 빛이 감도는 행성의 풍경을 담아냈다.

중도의 길이 시작된 지구

지구는 이제 새로운 시대를 맞이했다. 이분법적 사고가 종말을 고하며, 남녀, 선과 악, 어둠과 빛, 혼돈과 질서의 경계는 흐려졌다. 오랜 세월 동안 인류는 무수한 갈등과 대립을 겪어왔다. 이제는 중도의 길이 시작됐다.

신인류는 흑백논리에 갇히지 않고, 새로운 가능성과 희망의 문을 열었다. 도시는 새로운 크리스털 빛으로 물들었다. 거리마다 웃음과 환호가 넘쳤다. 화성인과 금성인은 그저 성별의 차이가 아니라, 서로를 보완하는 존재로 자리 잡았다. 선과 악은 절대적 기준이 아닌, 상황에 따라 또는 결과에 따라 변할 수 있는 개념으로 받아들였다. 어둠과 빛은 서로를 상생시키는 힘으로 작용하며, 혼돈은 마침내 하나로 융합되어 새로운 질서를 창조해냈다.

한때 갈등과 대립의 중심지였던 지구는 이제 평화와 조화의 상징으로 거듭났다. 에바는 새로운 세계의 풍경을 바라보며, 미소를 지었다. 중도의 길은 끝이 아니라, 무한한 가능성의 시작이다. 그들은 새로운 지구의 문턱에 서 있다. 그들은 지구에서도 어둠과 빛을 꾸준히 넘어설 수 있을까. 과연 어떤 운명을 맞이할 것인가. 지구의 운명은 이제 신인류의 손길에 달려 있다.